D1496773

CLÁSICOS JUVENILES

DRÁCULA

UN LIBRO DORLING KINDERSLEY
www.dk.com

ADAPTADO PARA JÓVENES LECTORES

Título original: Dracula
Traducción de: Teresa Arijón

Editor Senior Marie Greenwood
Edición de Arte Jane Thomas
Investigación Fergus Day
Producción Katy Holmes, Louise Barratt
Editor Gerente de Arte Chris Fraser
Investigación de imágenes Louise Thomas y Elizabeth Bacon
Diseño DTP Kim Browne
Versión abreviada Jo Fletcher-Watson

A Mary, Theo, Dylan y *Max, con amor.* T.H.

Los créditos de la página 64 forman parte de esta página.

Publicado por Editorial Cordillera de los Andes,
Hegel No. 153-101, Col. Polanco, C.P. 11570 Miguel Hidalgo, México, D.F.
www.cordillera.com.mx

Edición especial preparada para Editorial Televisa, S.A. de C.V.

www.editorialtelevisa.com.mx

Distribución: Distribuidora Intermex, S.A. de C.V.
Lucio blanco 435, Azcapotzalco, C.P. 02400, México, D.F.

ISBN 970-9747-19-3
(series Clásicos Juveniles)

ISBN 970-9747-23-1

Impreso en Singapur
Printed in Sngapur

CLÁSICOS JUVENILES

DRÁCULA

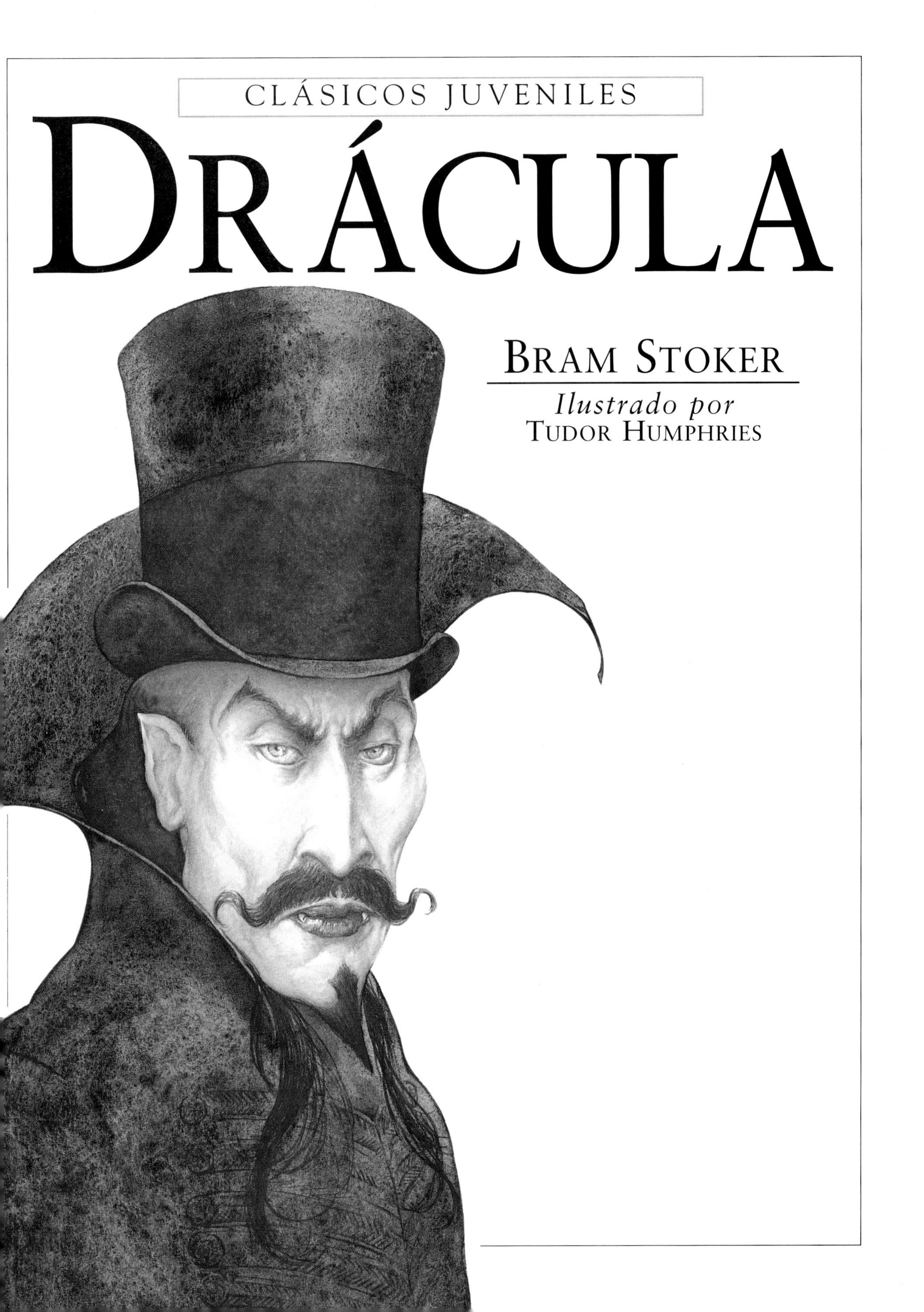

BRAM STOKER

Ilustrado por
TUDOR HUMPHRIES

Contenido

Jonathan Harker

Mina Murray, novia de Jonathan

Conde Drácula

Lucy Westenra, amiga de Mina

Arthur Holmwood

Doctor John Seward

Profesor Van Helsing

Quincey Morris

Introducción

Es probable que Drácula sea el vampiro más famoso del mundo, pero ciertamente no fue el primero. Desde tiempo inmemorial, los monstruos sedientos de sangre han protagonizado los mitos y leyendas folclóricas de muchas partes del mundo. En el siglo XIX comenzaron a consignarse por escrito hasta que, finalmente, la novela *Drácula*, de Bram Stoker, fue publicada en el año 1897.

Stoker creó el personaje aristocrático del conde Drácula y le inventó una historia vinculada con la del muy real Vlad Dracula, un sanguinario caballero del siglo XV. De este modo introdujo la posibilidad de que el relato tuviera sus verdaderas raíces en la enigmática Transilvania. La ambientación de la novela ha llevado a numerosas personas a buscar el castillo "original" de Drácula en Rumania y en otros parajes conectados con el relato. Aunque *Drácula* es, obviamente, una obra de ficción, sus lectores parecen querer encontrar una historia real detrás de la fantasía.

Esta versión de Clásicos Juveniles explora un ambiente fascinante y ubica de manera rotunda a Drácula en su contexto original: allí donde Bram Stoker lo creara.

Las propias palabras de Stoker dan vida a su célebre, misterioso personaje. Fue él quien otorgó al vampiro predilecto de todas las épocas sus orejas puntiagudas, sus palmas cubiertas de vello y sus uñas largas y afiladas... tan largas y tan afiladas como sus temibles dientes. Fue él quien creó el drama, la tensión y el miedo que impregnan cada escena de un relato que no morirá jamás.

El cementerio de Whitby, uno de los lugares donde transcurre Drácula.

La tierra natal de Drácula

Transilvania
En la actualidad, Transilvania es una provincia de Rumania. Cuando Stok escribió *Drácula*, la región era parte d imperio Austro-Húngaro.

El relato comienza cuando Jonathan Harker viaja a Transilvania para hacer negocios con el conde Drácula, quien desea comprar una casa en Inglaterra. La palabra "Transilvania" significa "la tierra más allá del bosque". Para Jonathan Harker, este viaje implicaba traspasar la frontera del mundo conocido.

VLAD DRACULA

Bram Stoker le otorgó a su personaje Drácula un ancestro real: Vlad Dracula (c. 1431-1476), príncipe de Valaquia, un antiguo reino que actualmente forma parte de Rumania.

Hijo de Dracul
El padre de Vlad fue Vlad Dracul, palabra que significaba "diablo" o "dragón". Su hijo tomó el nombre de Dracula o "hijo de Dracul".

Vlad Dracul era caballero de la Orden del Dragón.

Emblema de la Orden del Dragón.

La casa donde nació Vlad.

Sighisoara
Vlad Dracula nació y fue criado en Sighisoara, un pueblo medieval de Transilvania.

El empalador
Vlad fue un tirano cruel que ordenó el empalamiento de miles de personas, a raíz de lo cual se ganó el apodo de Vlad Tepes o "Vlad el empalador".

El paisaje
Jonathan Harker contempló una tierra de virginal belleza, salpicada de pueblos y aldeas que habían permanecido inalterados durante siglos.

Artesanías tradicionales de Transilvania.

Vestimenta tradicional de los campesinos de Transilvania.

La gente
Transilvania era una tierra de muchos pueblos, entre ellos los magiares (oriundo Hungría), los rumanos, los szeklos, los eslovacos y los gitanos. De esta rica mezcla cultural surgieron numerosas leyendas y supersticiones acerca de vampiros.

Los gitanos siguen viviendo actualmente en Rumania.

Cultura gitana
Cuando los gitanos se establecieron en Europa Oriental en el siglo XIII llevaron con ellos su antigua creencia en la existencia de los vampiros. Los gitanos llaman *mullo* a estas criaturas nocturnas.

Un campam gitano del

Creer en vampiros
Los países de Europa Oriental comparten una curiosa historia de creencias en la existencia los vampiros. Los rumanos poseen diversas m de nombrar a los vampiros; una de ella *strigoi*: aquel que vuela de noche y la sangre de los niños dormidos.

lausenburg

nathan Harker viajó por tren a ausenburg desde Budapest, Austria-ıngría. Klausenburg fue la gran capital Transilvania y sus elegantes edificios n de estilo húngaro. Hoy en día, los manos la conocen por el nombre de uj.

Bistritz

Fue en Bistritz, actualmente llamada Bistrita, donde Harker recibió la primera advertencia sobre el peligro de los vampiros. Este hotel de Bistrita fue bautizado *Coroana de aur* ("Golden Krone") en homenaje a la posada donde se alojó Harker.

Paso del Borgo

El Paso del Borgo es uno de los lugares más espectaculares de la novela. Localizado en las peligrosas alturas de los Montes Cárpatos, el Paso y la región que lo rodea son fascinantes: las montañas de laderas escarpadas están cubiertas de bosques de abetos.

VERESTI

Paso del Borgo

BISTRITZ

Río Bistritza

KLAUSENBURG

MONTES CARPATOS

Río Sereth

SIGHISOARA

HUNADOARA

Castillo de Bran

CURTEA DE ARGES

Cruces de madera provenientes de un cementerio de Transilvania.

Antiguas fronteras del país

Nuevas fronteras del país

BUCAREST

EL CASTILLO DE DRÁCULA

Es probable que el castillo de Drácula se haya basado en un auténtico castillo de Rumania. Las posibilidades sugeridas hasta el momento son las siguientes:

1. Castillo de Bran, construido en el siglo XIII. Vlad el Empalador fue huésped y luego prisionero en este castillo. Sus inmensas habitaciones y oscuros pasadizos coinciden con la descripción de Bram Stoker.

2. Castillo del siglo XIII localizado en Hunadoara. Se cree que Vlad Dracul lo visitó en carácter de huésped.

3. Castillo situado al norte de Curtea de Arges, construido y habitado por Vlad el Empalador.

Castillo de Bran

ıitas nocturnas

rumanos creían que los ıpiros trataban de regresar s hogares durante la noche. a de las maneras de edirlo era colgar ristras de en todas las puertas y tanas.

Junto a la tumba

Era posible detectar la tumba de un vampiro por los agujeros que la rodeaban. El vampiro podía salir de esos agujeros en forma de niebla. Para evitar que esto sucediera, era menester arrojar agua en los agujeros.

VARNA

MAR NEGRO

El viaje
Luego de abandonar Alemania, Jonathan viajó a través de Europa para llegar a Transilvania. Hizo un alto en Klausenburg —actualmente llamada Cluj—, por entonces capital de Transilvania.

Munich Viena Budapest Bistritz Klausenburg Mar Mediterráneo

EUROPA ORIENTAL EN 1897
- Alemania
- Austria-Hungría
- Rumania

Vimos pueblos pequeños y castillos en las cimas de escarpadas laderas.

Capítulo uno

DIARIO DE JONATHAN HARKER

4 de mayo

SALIMOS DE MUNICH el 1 de mayo. El tren llegó a Viena a mañana siguiente, muy temprano, y luego pasó Budapest, que, a juzgar por lo que pude ver desde mi ventanilla, parece un lugar maravilloso. A la caída del sol llegamos a Klausenburg, Transilvania, donde me quedé a pasar la noche.

Antes de salir de Londres hice algunas averiguaciones sobre Transilvania. Me pareció mejor saber algo acerca de la región antes de iniciar tratativas comerciales con un noble del país. No pude encontrar el Castillo Drácula en ningún mapa, pero descubrí que Bistritz —la ciudad mencionada por el conde en su carta— es un lugar de gran renombre. Esa noche no dormí bien a pesar de que mi cama era muy cómoda. Tuve toda clase de sueños extraños, y un perro estuvo aullando bajo mi ventana hasta el amanecer.

El tren partió temprano a la mañana siguiente y durante todo el día vimos pueblos pequeños y castillos en las cimas de escarpadas laderas. Cuando por fin arribamos a Bistritz estaba anocheciendo. Fui directamente al Hotel Golden Krone, tal como había pedido el conde Drácula. Evidentemente me estaban esperando, porque una anciana con traje de campesina me dio la bienvenida y en seguida me entregó una carta:

Amigo mío,
Bienvenido a los Cárpatos. Lo espero con extrema ansiedad. Mañana a las tres deberá tomar una diligencia hacia Bucovina. Mi carruaje lo estará esperando en el Paso del Borgo. Estoy seguro de que disfrutará su estadía en mi hermosa tierra.
Su amigo,

Drácula

Día de San Jorge

Esta festividad era celebrada en Europa Oriental el 5 de mayo, luego de una noche de extremo pavor. Actualmente se celebra en distintas partes de Europa el día 23 de abril. Se creía que San Jorge protegía a los mortales contra los vampiros.

Cuentas sagradas

Los católicos utilizan el rosario para llevar la cuenta de una serie de plegarias.

Cuando le pregunté a la dueña del hotel si conocía al conde Drácula, hizo la señal de la cruz y se rehusó a seguir hablando. Pero justo antes de mi partida vino a mi cuarto y dijo con frenesí histérico:

—¿Debe usted ir? ¡Oh, joven Herr! ¿De verdad debe ir allí? ¿Acaso no sabe que es la víspera del día de San Jorge y que esta noche, cuando el reloj dé las doce, todas las fuerzas malignas del mundo gozarán de la plenitud de sus poderes?

Le dije que tenía compromisos comerciales y que, desde luego, debía ir. La mujer se quitó el rosario y lo puso alrededor de mi cuello. Luego, sin decir palabra, salió de la habitación.

Escribo esta parte del diario mientras espero la diligencia. El rosario todavía cuelga de mi cuello. Acaso sea el pánico de la anciana, o las numerosas leyendas de fantasmas que se recuerdan en este lugar; acaso sea el crucifijo mismo. No sé, pero no me siento tan sereno como de costumbre. Si este diario llega a las manos de Mina antes que yo, que sus páginas le transmitan mi adiós. ¡Ya llega la diligencia!

Ella puso el rosario alrededor de mi cuello.

Un carruaje con cuatro caballos nos seguía, veloz como la furia.

Los Cárpatos
Los altos y dentados Montes Cárpatos dominan el paisaje de Transilvania. Bram Stoker había leído bastante acerca de los Cárpatos: una región salvaje, plena de supersticiones y magia.

Cruces al costado del camino
En las zonas católicas como Transilvania se colocaban cruces de piedra a lo largo de los caminos para que los viajeros se detuvieran a rezar.

Cuando subí a la diligencia vi que el cochero hablaba con la dueña del hotel. Los escuché repetir ciertas palabras, como *Ordog* —Satán— y *vrolok* —hombre lobo o vampiro—. Luego, el cochero hizo restallar el látigo y partimos.

El camino era escarpado, pero parecíamos querer sobrevolarlo con una urgencia febril. Más allá de las sierras verdes y ampulosas se erguían poderosas cuestas cubiertas de bosques, hasta que finalmente llegamos a las primeras estribaciones de los altos Cárpatos. A medida que avanzábamos por ese camino interminable, y cuando el sol se hundía cada vez más a nuestras espaldas, las sombras de la noche comenzaron a envolvernos sigilosamente. Había muchas cruces de piedra al costado del camino, y cada vez que pasábamos junto a una mis compañeros de viaje se persignaban.

Cuando oscureció por completo los pasajeros comenzaron a inquietarse y le exigieron al cochero que redoblara la velocidad. Entonces las montañas parecieron cerrarse como una tormenta sobre nosotros: acabábamos de entrar al Paso del Borgo. Parecíamos ir volando; el cochero se había echado hacia adelante como un águila y los pasajeros escrutaban ansiosos la impenetrable oscuridad. Por fin, vimos que el Paso se abría hacia el este. Yo mismo miré por la ventana. Buscaba el carruaje del conde, a cada instante esperaba ver el resplandor de sus faroles en las tinieblas de la noche... pero todo estaba oscuro. Cuando comenzaba a preguntarme qué me convenía hacer, los caballos empezaron a relinchar, resoplar y cocear desesperadamente. Entonces, en medio de un coro de gemidos de los pasajeros, un carruaje tirado por cuatro caballos comenzó a eguirnos, veloz como la furia, nos alcanzó y se puso a la par de nuestra iligencia. El cochero tenía una larga barba marrón y llevaba un enorme ombrero negro que parecía ocultar su rostro. Sólo alcancé a ver el destello de n par de ojos muy brillantes, que me parecieron rojos a la luz de la lámpara.

—Dame el equipaje del Herr —dijo el extraño cochero. Sonrió al pronunciar stas palabras, y la mortecina luz del farol iluminó en su vaivén una boca dura e labios muy rojos y dientes afilados, tan blancos como el marfil. Me ayudó a ubir a su carruaje tomándome del brazo con puño de acero. Sin decir palabra acudió las riendas, los caballos dieron media vuelta, y volvimos a hundirnos en a tenebrosa oscuridad del Paso del Borgo.

Intrigado, encendí un fósforo y a la luz de la llama miré mi reloj. Era casi nedianoche. Esperé y el suspenso pesaba en mi corazón como una enfermedad.

Entonces, desde las montañas que se erguían a ambos lados del carruaje, me egó un coro de aullidos potentes y agudos: eran lobos. El cochero agitó los razos, como si estuviera apartando algún obstáculo invisible, y los lobos etrocedieron y desaparecieron. Continuamos subiendo, ahora en la más ompleta oscuridad porque las nubes habían ocultado la luna. Finalmente me ormí, consumido por el miedo.

Hombre lobo
De acuerdo a la leyenda, el hombre lobo era un hombre o una mujer que se transformaba en lobo y atacaba a la gente y a otros animales.

Lobos
Los lobos cazan en jaurías y se comunican entre sí mediante aullidos. En algunas culturas la presencia de un lobo es un mal presagio.

—Dame el equipaje del Herr —dijo el extraño cochero.

CASTILLO DE BRAN
Es probable que Bram Stoker haya basado su descripción del castillo de Drácula en el castillo de Bran, situado en Rumania.

Las almenas derruidas formaban una línea dentada contra el cielo, débilmente iluminado por la luna.

5 de mayo

Desperté de golpe y vi que el cochero estaba entrando al patio de un inmenso castillo en ruinas, de cuyas altas ventanas oscuras no provenía un solo rayo de luz, y cuyas almenas derruidas formaban una línea dentada contra el cielo débilmente iluminado por la luna. El cochero me ayudó a

bajar y luego desapareció, con carruaje y todo, por una de las tenebrosas aberturas. Después de unos minutos que parecieron eternos, escuché pasos pesados detrás del enorme portón y vi, a través de las hendijas, el resplandor de una luz que se acercaba. Inmediatamente percibí el sonido de cadenas que se entrechocaban y el chirriar de los pasadores al ser descorridos. Una llave giró y la puerta se abrió de par en par.

Del otro lado estaba parado un anciano alto, de largo bigote blanco, vestido de negro de la cabeza a los pies. Llevaba en la mano una antigua lámpara de plata, cuya llama arrojaba sombras vacilantes al agitarse. Me invitó a entrar, diciendo:

Patio escondido
El castillo de Bran posee un patio interior con pasadizos subterráneos secretos y rutas de escape.

—Bienvenido a mi casa. Entre libremente y por su propia voluntad.

No avanzó hacia mí; se quedó quieto como una estatua, como si su gesto de bienvenida lo hubiera convertido en piedra. Pero apenas crucé el umbral avanzó impulsivamente y me estrechó la mano con una mano fría como el hielo... más parecida a la mano de un muerto que a la de un vivo.

—¿El conde Drácula? —pregunté.

—Yo soy Drácula... y le doy la bienvenida a mi casa, señor Harker.

Me guió a una habitación convenientemente iluminada, en la que se había dispuesto una mesa lista para la cena. Mi anfitrión se quedó de pie, apoyado contra una imponente estufa cuyos leños llameaban y lanzaban chispas. Señaló la mesa con un grácil ademán y dijo:

—Por favor, tome asiento y cene a su gusto. Sabrá disculpar, espero, que no lo acompañe, pero ya he cenado.

Cuando terminé de comer, me dediqué a observarlo. Su cara era rotunda, poderosa, con los orificios nasales arqueados de modo peculiar. Bajo el tupido bigote se vislumbraba una boca dura y de aspecto cruel. Los dientes blancos y filosos parecían clavarse sobre los labios, demasiado rojos para un hombre de su edad. Tenía orejas pálidas, casi transparentes, y puntiagudas. Sus uñas eran largas y estaban afiladas en punta. Puede resultar extraño al decirlo, pero tenía vello en el centro de las palmas de las manos.

Cuando se inclinó hacia mí me sobrevino una horrible sensación de náusea. El conde se dio cuenta de lo que ocurría y se apartó discretamente. Miré hacia la ventana y vi las primeras luces del amanecer. Y escuché también el aullido de las jaurías de lobos. Los ojos del conde brillaron conmovidos.

—Escúchelos... Son los hijos de la noche. Qué deliciosa música —luego se levantó diciendo—: Usted debe estar cansado. Su dormitorio está listo. Yo debo salir y estaré ausente hasta la tarde. ¡Le deseo que tenga sueños agradables!

Tenía en la mano una antigua lámpara de plata, cuya llama arrojaba sombras vacilantes al agitarse.

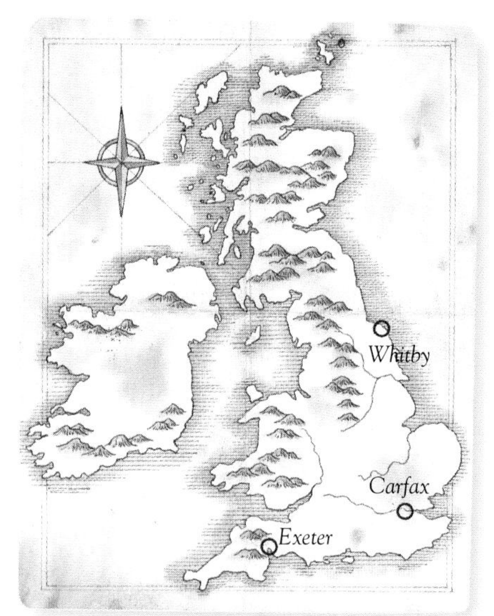

Mapa marcado
El conde tiene un mapa de las Islas Británicas, en el que ha marcado con un círculo tres lugares: Carfax, Exeter (tierra natal de Jonathan) y Whitby.

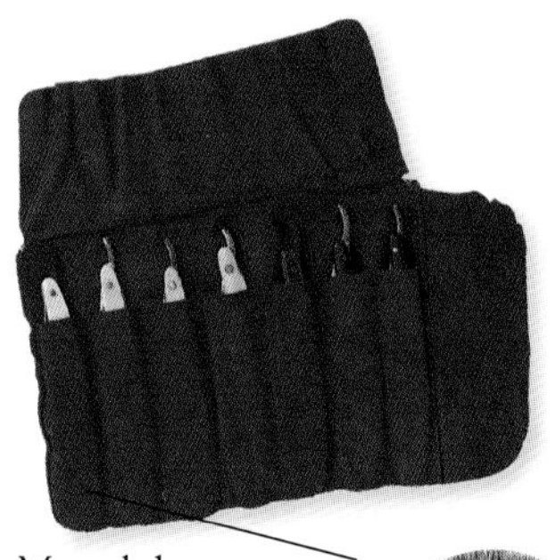
Morral de cuero para navajas.

El filo de la navaja
Para asegurarse de que la hoja estuviera bien afilada cada vez que se afeitaban, los viajeros llevaban una navaja para cada día de la semana.

Brocha

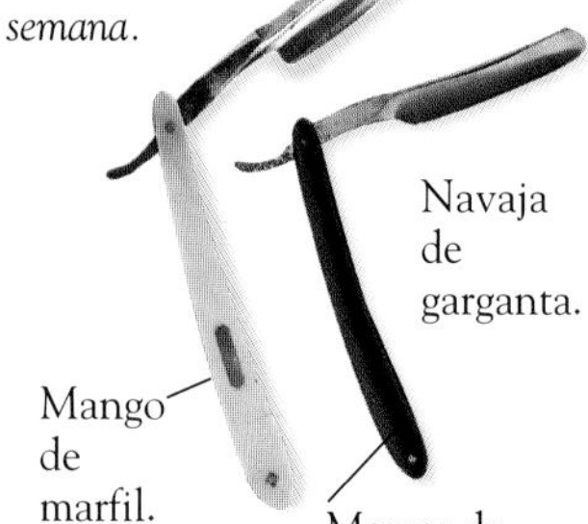
Navaja de garganta.

Mango de marfil.

Mango de ébano.

8 de mayo

Hay algo tan extraño en este lugar y en todo lo relacionado con él que no puedo dejar de sentirme inquieto. Desearía poder salir sano y salvo de aquí, o no haber venido jamás. Me quedé despierto toda la noche con el conde y hablamos sobre los requerimientos legales para la compra de Carfax, la casa ubicada al este de Londres que mi firma encontró para él.

Dormí apenas unas horas, pero cuando desperté por la tarde ya había oscurecido. Colgué mi espejo de la ventana y comencé a afeitarme. De pronto sentí una mano sobre el hombro y oí la voz del conde que me decía:

—Buen día.

Me sobresalté y sin querer me corté apenas la mejilla. Saludé al conde y me di vuelta para seguir afeitándome. Para mi sorpresa, vi que el espejo no reflejaba la imagen del conde, aunque estaba parado a mis espaldas. Vi que el corte había sangrado un poco y que la sangre corría en un hilo fino sobre mi mentón. Miré a mi alrededor en busca de algo con que limpiarme. Cuando el conde vio mi cara, sus ojos llamearon y sin razón aparente me tomó por el cuello con ambas manos. Entonces, su mano rozó la hilera de cuentas del rosario y su furia desapareció con tanta rapidez que nadie

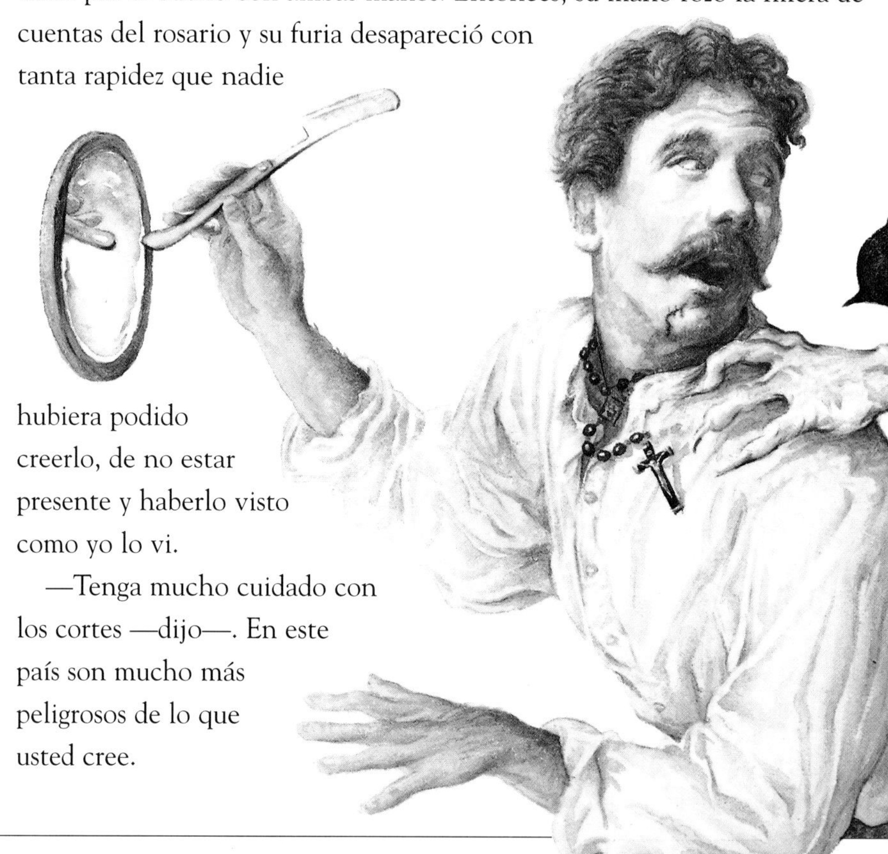

hubiera podido creerlo, de no estar presente y haberlo visto como yo lo vi.

—Tenga mucho cuidado con los cortes —dijo—. En este país son mucho más peligrosos de lo que usted cree.

Luego abrió la pesada ventana con un solo movimiento de su terrible brazo y arrojó el espejo por el vano, que se deshizo en mil pedazos sobre las piedras del patio. Luego se retiró en silencio.

Cuando entré al comedor el desayuno estaba listo... pero no pude encontrar al conde por ninguna parte. De modo que volví a comer solo. Es muy extraño que hasta el momento no haya visto comer ni beber al conde. ¡Debe ser un hombre muy excéntrico!

Después de desayunar exploré el castillo y encontré una habitación con vista al sur. El castillo se yergue al borde mismo de un terrible precipicio. Si se arroja una piedra desde la ventana de esa habitación, puede caer cientos de metros sin que nada, absolutamente nada, interrumpa su curso. Una vez comprobado esto seguí explorando: sólo encontré puertas, puertas y más puertas... todas cerradas con llave y pasador. Las únicas salidas posibles son las ventanas, empinadas sobre las paredes. Comienzo a temer que el castillo sea una cárcel... y yo su prisionero.

Sin reflejo

Los espejos se utilizaban en las ceremonias de muchas religiones antiguas. Los fieles creían que la luna del espejo reflejaba el alma y que los seres malvados no tenían alma alguna que reflejar.

Espejo del Antiguo Egipto

Cuando el conde vio mi cara, sus ojos llamearon y aferró mi garganta con mano de hierro.

VLAD DRACULA
Uno de los "nobles ancestros" de Drácula fue el siniestro Vlad Dracula. Vlad torturó y mató a más de 40.000 personas. Se decía que sus crímenes no tenían igual, ni siquiera entre los tiranos más sedientos de sangre. El emblema familiar de Vlad, grabado en todas sus monedas, era el dragón. Le agradaba probar la lealtad de sus súbditos disfrazándose de campesino y dejando monedas en las tiendas y otros lugares públicos: si algún infeliz las recogía, era ejecutado al instante.

Las monedas de Vlad

Cuando comprendí que era prisionero del conde, subí y bajé corriendo todas las escaleras del castillo como una rata encerrada en una trampa. Luego, la enorme puerta del castillo se cerró con un golpe sordo y supe que el conde había regresado. Volví arrastrándome a mi cuarto y lo vi haciendo la cama a través de una hendija en la puerta. ¡No tenía sirvientes! Entonces... él era el cochero que conducía el carruaje y fue él quien controló a los lobos con un gesto de su mano. La idea es terrible. ¿Por qué la gente de Bistritz y los pasajeros de la diligencia temían por mi suerte? Bendigo a la buena mujer que colgó el crucifijo de mi cuello porque me consuela cada vez que lo toco. Debo averiguar todo lo que pueda sobre el conde Drácula.

12 de mayo

Esta noche hablamos acerca de la historia de Transilvania y el conde describió las valientes hazañas de todos sus nobles ancestros.

Luego se retiró a trabajar y yo regresé a la habitación que mira al sur. Por el rabillo del ojo vi que algo se movía un piso más abajo. Era la cabeza del conde asomando por una ventana. Presa del asco y el terror, vi que detrás de la cabeza salía todo el cuerpo de ese hombre y que comenzaba a reptar lentamente por la pared del castillo, cabeza abajo, con su capa desplegada a los costados del cuerpo como un par de alas inmensas. Al principio me fue imposible creer lo que veían mis ojos. Pensé que se trataba de una ilusión óptica producida por la luz de la luna, o de algún extraño efecto de las sombras... pero vi cómo los dedos de las manos y de los pies se aferraban a las salientes de las piedras. Tomándose de cada resquicio, el conde descendía a gran velocidad... como un lagarto se desliza por una pared. ¿Qué clase de hombre es éste... o qué clase de criatura con forma de hombre? Siento la maldad de este lugar horrible y sé que estoy rodeado de cosas aterradoras en las que ni siquiera me atrevo a pensar...

Drácula reptaba con su capa desplegada a los costados del cuerpo como un par de alas inmensas.

Tirano cruel
Se decía que tras derrotar a sus enemigos en el año 1460, Vlad comió opíparamente entre los cuerpos empalados de sus víctimas.

VAMPIROS DE SEXO FEMENINO
Los vampiros de sexo femenino aparecen en cuentos y leyendas de todo el mundo.

Lamia
Esta mujer vampiro es protagonista de numerosas leyendas antiguas. Se creía que era muy bella y sumamente peligrosa, especialmente para los hombres y los niños.

Lilith
Esta mujer vampiro, también conocida como Reina de la Noche, aparece en antiguas leyendas babilonias y hebreas. De acuerdo a una versión, Lilith fue creada para ser la mujer de Adán... pero lo abandonó para unirse a las perversas fuerzas de la oscuridad.

Striges
Mitad vampiro, mitad pájaro, este ser fabuloso era una suerte de bruja que podía transformarse en pájaro durante la noche y beber sangre humana.

15 de mayo

Nuevamente observé al conde bajar reptando desde su ventana. Cuando estuve completamente seguro de que había abandonado el castillo, aproveché la oportunidad para seguir explorando. Y exploré más de lo que me había atrevido hasta el momento. Finalmente encontré una puerta en el extremo de una escalera, que se abrió un poco cuando la empujé con fuerza. Adentro, las ventanas no tenían cortinas y los muebles estaban cubiertos de polvo inmemorial. Era casi de noche y de pronto me sentí muy cansado, con deseos de dormir, de modo que me acosté sobre un sillón enorme, sin darle importancia al polvo.

Supongo que debo haberme dormido, pero el sueño que tuve fue asombrosamente real. Frente a mí, bajo la luz de la luna, se hallaban tres mujeres jóvenes. Se acercaron sigilosas y se quedaron mirándome durante un buen rato; luego comenzaron a murmurar entre ellas. Dos de ellas tenían el cabello oscuro y enormes ojos penetrantes que parecían casi rojos si se los comparaba con el amarillo pálido de la luna. La otra era rubia, de larga y ondulada cabellera dorada y ojos claros como zafiros. Las tres tenían dientes blancos muy brillantes que resplandecían como perlas contra sus labios color rubí. Había algo en ellas que me inquietaba, algo anhelante y al mismo tiempo mortalmente aterrador. Entonces, la joven rubia se inclinó sobre mí y pude sentir su respiración caliente sobre el cuello. Continuó bajando la cabeza, más y más, hasta que sus labios pasaron junto a mi boca y mi mentón y parecieron adherirse a mi garganta. Comenzó a arderme la piel y sentí el duro borde de dos dientes afilados. Cerró los ojos y esperé. Mi corazón latía desbocado.

Frente a mí, bajo la luz de la luna, se hallaban tres mujeres jóvenes.

Pero en ese preciso momento apareció el conde. Mis ojos se abrieron involuntariamente y lo vi aferrar el esbelto cuello de la joven con su mano terrible y arrancarla de mí. Su rostro estaba mortalmente pálido y su voz se había transformado en un murmullo furioso:

—¿Cómo se atreven a tocarlo, ninguna de ustedes? ¡Este hombre me pertenece!

Al escuchar esto, las mujeres lanzaron una risotada soez y desalmada y simplemente parecieron evaporarse en los rayos de luz de la luna.

Loogaroo
Esta bruja vampiro aparece en las leyendas de las Indias Occidentales. Su nombre proviene del francés loup garou, *que significa "aquella que cambia de forma".*

28 de mayo

¡Hay una posibilidad de escapar! Un grupo de gitanos ha llegado al castillo y acampado en el patio. He leído que hay millares de gitanos en Transilvania.

Le escribí una carta a Mina en sistema taquigráfico, explicándole mi situación, y la arrojé, con una pieza de oro, a través de las rejas de mi ventana. Hice señas a los gitanos para que la enviaran por correo. Un hombre recogió mi carta, la apretó contra su corazón y luego se la guardó en el sombrero. No puedo hacer nada más.

El conde vino a verme. Se sentó a mi lado y comenzó a abrir un sobre. Al ver los extraños símbolos que contenía, su cara se tornó sombría y sus ojos llamearon con malicia:

—Esta carta no está firmada —musitó—, de modo que no puede interesarnos.

Con gran serenidad, sostuvo la carta y el sobre sobre la llama de lámpara hasta que se consumieron. Luego salió de la habitación.

Más tarde, mientras estaba sentado en mi cama tratando de idear un plan, escuché chasquido de látigos y golpes de cascos de caballos. Con alegría corrí a la ventana y vi que dos grandes carros entraban al patio, guiados por los eslovacos. Llevaban sombreros de ala ancha, grandes cinturones con tachas de cueros de ovejas y botas de

Querida Mina

Taquigrafía

La escritura taquigráfica utilizada por Jonathan podría haber sido la de Pitman. Lanzada por primera vez en 1837, hacia la década de 1890 su uso se había popularizado notablemente.

Gitanos

Oriundos de India septentrional, muchos gitanos se establecieron en Transilvania en el siglo XV. Se dividían en grupos según las tareas que realizaban: por ejemplo los lingurari (fabricantes de cucharas) como el que vemos más arriba. Hoy en día, los gitanos constituyen aproximadamente el diez por ciento de la población rumana.

caña alta. Corrí hacia la puerta con la intención de unirme a la caravana y escapar, pero —nuevamente, una desagradable sorpresa— estaba encerrado bajo llave. Me abalancé sobre la ventana y grité pidiendo ayuda. Los eslovacos miraron hacia arriba, me señalaron y rieron. Después de eso, por mucho que me esforcé no conseguí que volvieran a mirarme. Desolado e indefenso, me dediqué a observarlos descargar los enormes cajones que habían traído en las carretas. Probablemente estaban vacíos, porque los manipulaban con facilidad. Cuando los eslovacos terminaron de apilar todos los cajones en un rincón del

Eslovacos
Stoker no había visto un eslovaco en toda su vida, pero había leído que vivían en Transilvania en aquella época.

Los eslovacos usaban chalecos de cuero de oveja y cinturones anchos: el atuendo típico de los campesinos rumanos.

Corrí a la ventana y vi que dos enormes carretas entraban al patio del castillo.

patio, los gitanos les dieron algo de dinero a cambio. Poco después, escuché el chasquido de los látigos y supe que los eslovacos estaban saliendo del patio del castillo en sus carros desvencijados.

LA CASA DE DRÁCULA
Las pesadas puertas del castillo de Bran llevan a habitaciones sombrías que contienen oscuros muebles ornamentados.

Cama de cuatro columnas tallada en madera.

Portavelas de hierro forjado.

¡Allí, en uno de los cajones, sobre un montón de tierra, yacía el conde!

25 de junio

Jamás he visto al conde a la luz del día. ¿Es posible que duerma mientras los demás están despiertos, y esté despierto mientras los demás duermen? ¡La puerta de su dormitorio está siempre cerrada con llave... de modo que para averiguarlo tendré que entrar por la ventana!

Mientras todavía tenía coraje, salí por la ventana y trepé por las grandes piedras de la pared del castillo hasta llegar al alféizar de la ventana del conde. Deslicé primero los pies y luego el resto del cuerpo y, para mi gran sorpresa, descubrí que la habitación estaba vacía. En un rincón había una puerta pesada. La abrí sin dificultad y vi que conducía a una escalera de caracol. Bajé y llegué a una vieja capilla en ruinas. Un nauseabundo olor a tierra removida impregnaba el aire; miré a mi alrededor y vi que el suelo había sido excavado recientemente y que la tierra había sido colocada en unos enormes cajones de madera... los mismos que habían traído los gitanos. Me acerqué a examinarlos, conté cincuenta en total, y luego vi algo que llenó mi alma de horror. ¡Allí, en uno de los cajones, sobre un montón de tierra, yacía el conde! Pero tenía el aspecto de un

hombre joven,
porque su cabello blanco se había vuelto
gris acero y sus labios estaban rojos de sangre. Casi
enloquecí al contemplar la sonrisa burlona de su cara hinchada-abotagada.
Tomé una pala y la levanté para golpear al monstruo. Pero mientras lo
hacía, Drácula giró la cabeza y me clavó sus ojos llameantes. El terror me
paralizó y la pala se deslizó de mis manos... dejando sólo una levísima
raspadura sobre su frente.

De pronto, escuché sonido de pasos que se acercaban. Volví corriendo a la habitación del conde y oí que abajo alguien hacía girar una llave en la cerradura. Luego escuché cómo los gitanos cerraban a martillazos las tapas de los cajones y los arrastraban afuera.

Ahora estoy solo en el castillo. Debo tratar de bajar por la pared y encontrar la manera de salir de este lugar espantoso.

Escaleras de caracol

Las escaleras de este tipo eran muy comunes en los castillos. Las que vemos aquí pertenecen al castillo de Bran y conducen a una entrada secreta a las habitaciones del piso superior.

Llegué aquí con Lucy hace una hora, y hemos mantenido una conversación muy interesante.

WHITBY
La ciudad marítima de Whitby se encuentra en la entrada del río Esk, Yorkshire, Inglaterra. Bram Stoker pasó allí sus vacaciones en numerosas oportunidades y llegó a conocer muy bien la ciudad.

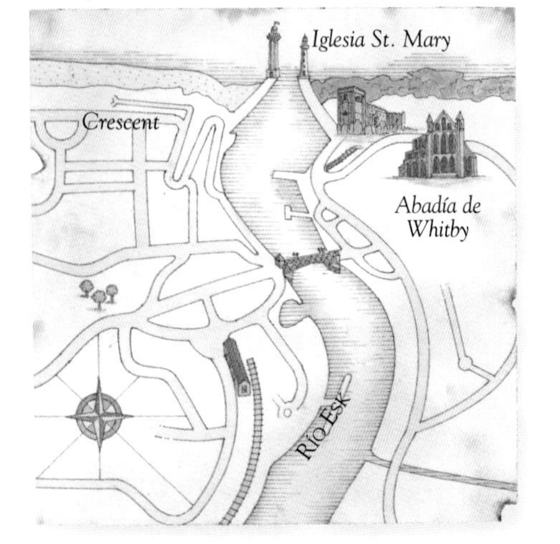

Capítulo dos

DIARIO DE MINA MURRAY

Whitby, 24 de julio

LUCY FUE A BUSCARME a la estación, más hermosa que nunca, e inmediatamente nos dirigimos a la casa de su madre en Crescent. Esta ciudad es maravillosa. El pequeño río, el Esk, corre a través de un valle muy verde y muy hondo, que se ensancha en las proximidades del puerto. A cada lado de la entrada del puerto hay un muelle de piedra que avanza hacia el mar con un faro en el extremo. Más allá del puerto se ve un arrecife, y en uno de sus extremos una boya con una campana que tañe al balancearse cuando hay mal tiempo.

Todas las casas de la ciudad tienen tejados rojos y parecen haber sido

apiladas una encima de la otra sobre la ladera del risco. En la parte más alta de la ciudad se hallan las ruinas de la abadía de Whitby. Es una construcción muy noble y se llega a ella por un camino que termina en la punta del risco.

Entre la abadía y la ciudad hay una iglesia parroquial, rodeada por un cementerio bastante grande. Éste es, creo, el lugar más bello de Whitby. El cementerio domina la ciudad y tiene una hermosa vista del puerto. Hay senderos entre las tumbas y bancos a los costados.

Subimos con Lucy hace ya una hora, y hemos mantenido una conversación muy interesante. Me habló de su amado Arthur y su inminente matrimonio. Eso me hizo sentir un poco desconsolada, porque hace más de un mes que no sé nada de Jonathan. Me pregunto dónde está y si acaso piensa en mí. Ojalá estuviera aquí conmigo.

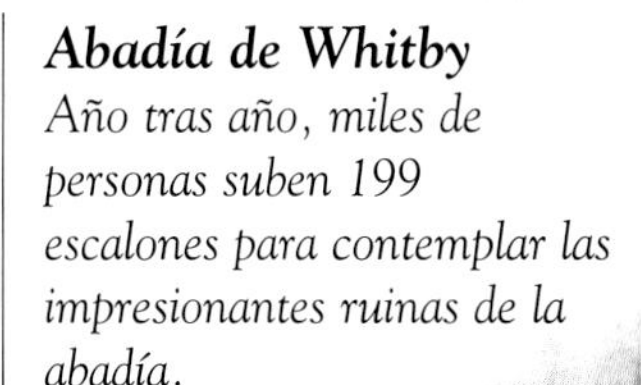

Abadía de Whitby
Año tras año, miles de personas suben 199 escalones para contemplar las impresionantes ruinas de la abadía.

6 de agosto

Aún no he recibido noticias de Jonathan, pero ahora estoy preocupada por Lucy. Ha retomado su viejo hábito de caminar dormida y cada día está más pálida. Naturalmente, su madre está preocupada por ella y me ha pedido que cierre con llave la puerta de nuestra habitación todas las noches. Hay algo que no comprendo, una extraña inquietud consume a Lucy; incluso mientras duerme parece estar observándome. Intenta abrir la puerta y, al encontrarla cerrada, recorre la habitación en busca de la llave.

Esta noche Lucy está más alterada que nunca. Mientras escribo esto el cielo se va cubriendo de nubes densas; pronto se desatará la tormenta. Los barcos pesqueros están regresando al puerto a toda vela.

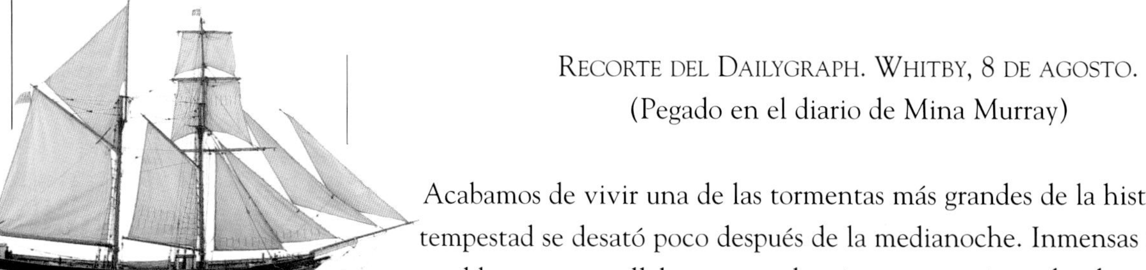

GOLETA
Mientras se hallaba en Whitby, Bram Stoker oyó la historia de una goleta rusa llamada Dimetry, *que había estado a punto de estrellarse contra un arrecife en las proximidades del puerto.*

RECORTE DEL DAILYGRAPH. WHITBY, 8 DE AGOSTO.
(Pegado en el diario de Mina Murray)

Acabamos de vivir una de las tormentas más grandes de la historia. La tempestad se desató poco después de la medianoche. Inmensas olas de cresta blanca se estrellaban contra los riscos y rompían sobre los muelles. En el arrecife del este, el nuevo faro iluminó una goleta con todas sus velas desplegadas, navegando a toda velocidad en dirección al puerto. Cuando estuvo más cerca, la luz del faro permitió ver que, atado al timón, se encontraba el cadáver de un hombre. ¡Todos los que estábamos en la orilla quedamos azorados al darnos cuenta de que la nave iba a la deriva... guiada por la mano de un muerto! Pero la goleta no aminoró la

¡La nave iba a la deriva, guiada por la mano de un muerto!

marcha... pasó velozmente frente al puerto y encalló entre la arena y los guijarros del risco del este. Entonces, en el mismo instante en que tocó la orilla, un perro enorme subió a la cubierta del barco y saltó a la arena. Corrió decididamente hacia el escarpado arrecife y desapareció en la oscuridad.

9 de agosto

Acaba de saberse que la goleta zarpó de Varna y se llama *Demeter*. Su único cargamento consiste en un montón de cajones de madera llenos de tierra enmohecida. Me han permitido leer el cuaderno de bitácora del capitán y así he podido conocer todos los detalles del viaje. Al principio, la tripulación dijo que había algo extraño a bordo; luego desaparecieron todos los hombres, uno por uno, hasta que sólo quedó el capitán. Como era un marino honorable, se rehusó a abandonar la nave y ató sus manos al timón, colocando entre ambas un crucifijo para salvar su alma del demonio que habitaba bajo cubierta.

Jamás se encontraron huellas del enorme perro.

Navegación
El capitán decidía el curso del viaje antes de zarpar, utilizando para ello mapas y diversos instrumentos de navegación. El compás se empleaba para medir el rumbo o los cambios de dirección.

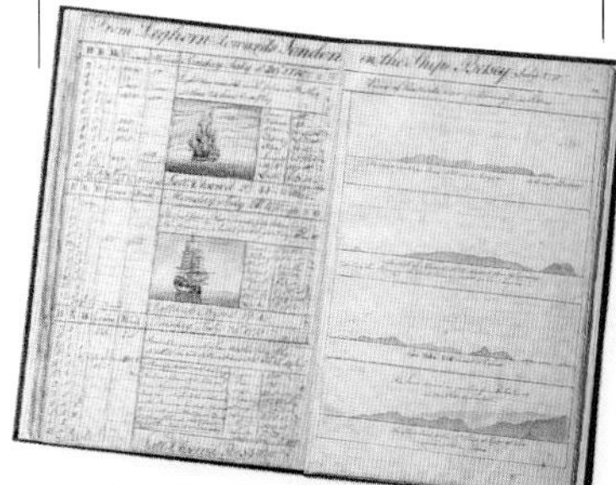

Cuaderno de bitácora
El capitán tomaba nota de los progresos del barco, y de todos los acontecimientos interesantes que se producían durante la travesía, en su cuaderno de bitácora.

Luna llena
Se creía que la luna llena volvía más activas a las criaturas nocturnas, entre ellas lobos y murciélagos. Algunas historias de vampiros decían que eran los rayos de la luna llena los que hacían revivir al vampiro de su sueño eterno.

11 de agosto

Anoche me desperté con una horrible sensación de miedo. Lucy no estaba en su cama y la puerta no estaba cerrada con llave, tal como yo la había dejado. Como no quería despertar a su madre, que había estado enferma poco tiempo atrás, me vestí rápidamente y bajé corriendo. Al llegar al vestíbulo se me heló el corazón al ver que la puerta de entrada estaba abierta. Me puse un chal sobre los hombros y salí. El reloj dio la una cuando llegué al Crescent; no había un alma a la vista.

Desde el borde del West Cliff contemplé el puerto y la abadía. La luna llena lo iluminaba todo y pude ver una silueta en nuestro banco favorito. Me temblaban las rodillas mientras trepaba los interminables escalones que llevan a la abadía. Cuando estuve cerca de la cima, grité aterrada:

—¡Lucy, Lucy!

Algo largo y negro estaba inclinado sobre la silueta a medias reclinada; levantó la cabeza y pude ver sus ojos rojos, relampagueantes. Pero cuando llegué al asiento encontré a Lucy completamente sola y todavía dormida. Le puse el abrigado chal sobre los hombros porque temía que el aire helado de la noche la matara. Se lo ajusté al cuello con un broche de seguridad bastante grande. Pero probablemente fui torpe y la pinché, porque se llevó la mano a la garganta y gimió.

La sacudí varias veces hasta que por fin despertó. Se colgó de mi brazo cuando regresábamos a la casa y apenas llegamos la ayudé a meterse en la cama. Me apenó ver que mi torpeza con el broche de seguridad había sido grande y que de verdad la había lastimado. Tenía perforada la piel de la garganta y una gota de sangre manchaba su camisón.

Errancia nocturna
El sonambulismo es un estado —bastante común en los niños— que tiene lugar durante el sueño más profundo. El sonámbulo camina mecánicamente, casi siempre con los ojos abiertos. Se creía que los sonámbulos podían hacer que un pariente, por lo general un hermano, se transformara en vampiro.

17 de agosto

En estos últimos días no he tenido ánimo para escribir. Una suerte de mortaja sombría parece estar envolviendo nuestra felicidad. No he tenido noticias de Jonathan y Lucy está cada vez más débil. No comprendo por qué se ha debilitado hasta ese punto. Come y duerme bien, y disfruta estando al aire libre; pero las rosas de sus mejillas se están marchitando y día a día va perdiendo sus fuerzas. Por la noche se levanta y se sienta frente a la ventana abierta. Las pequeñas heridas de su cuello no se han cerrado; al contrario, creo que se han agrandado un poco.

Mi visita está llegando a su fin. Pronto deberé regresar a casa, aunque me preocupa dejar a Lucy en este estado. Arthur vino a visitarnos y se sintió muy apenado al verla, tan desmejorada está. Decidió escribirle a su amigo, el doctor Seward.

Algo largo y negro se inclinaba sobre la silueta semirreclinada.

Falta de sangre
La anemia es provocada por la falta de hierro en la sangre. El anémico se pone pálido y se siente débil y muy cansado.

Capítulo tres

DIARIO DEL DOCTOR SEWARD

4 de septiembre

HE VISITADO A LUCY. Parece estar enferma, aunque aparentemente no padece ninguna clase de enfermedad. Pude comprobar fácilmente que le falta sangre, pero no presenta ninguno de los síntomas habituales de la anemia. Se quejó de dificultad para respirar y de un estado de somnolencia letárgico con sueños que la aterran.

Ahora entiendo por qué Arthur está tan preocupado por ella. No obstante, como tengo algunas dudas sobre su condición, he llamado a mi viejo amigo y maestro, el profesor Van Helsing, de Amsterdam. Es uno de los científicos más avanzados de la época y sabe de enfermedades misteriosas más que nadie en el mundo.

Van Helsing ha llegado. Cuando le describí los síntomas de Lucy —los mismos de siempre, pero infinitamente más acentuados— me miró muy serio, pero no dijo nada.

Llegamos a la casa y la señora Westenra nos acompañó a la habitación de Lucy. Quedé horrorizado al verla. Parecía un fantasma; su rostro tenía el color de la tiza y el rojo había abandonado para siempre sus labios.

Era doloroso escucharla respirar. La cara de Van Helsing se volvió dura como el mármol y frunció tanto las cejas que casi le tocaron la nariz. Lucy yacía inmóvil y no parecía tener fuerzas para hablar, de modo que todos permanecimos callados durante un tiempo. Luego, Van Helsing me hizo una seña y ambos salimos de la habitación sin hacer ruido.

Regresamos al día siguiente; el profesor llevaba en la mano un enorme ramo de flores blancas.

—Son para usted, señorita Lucy —dijo.

—¿Para mí? ¡Oh, doctor Van Helsing!

—Sí, querida mía, pero no las traje para que juegue con ellas. Son medicinas.

Lucy las olió y dijo, riendo a medias:

—¡Pero, profesor, creo que me está haciendo una broma! Ésas son solamente vulgares flores de ajo.

Para mi sorpresa, Van Helsing se levantó y dijo con severidad:

—¡Jamás bromeo! Todo lo que hago tiene un terrible propósito. Cuídese, por el bien de los otros, si no por el suyo propio —luego, viendo a la pobre Lucy asustada, dijo con mayor dulzura—: Oh, querida mía, no tenga miedo de mí. Sólo estoy haciendo esto por su propio bien. Dejaré estas flores en su cuarto y haré un collar para que lo lleve puesto. Venga conmigo, amigo John, ayúdeme a decorar el dormitorio con mis ajos.

—Muy bien, profesor —dije—. Sé que siempre tiene una razón para hacer lo que hace, pero debo admitir que esto me confunde un poco. Es como si usted estuviera haciendo un hechizo para alejar a un espíritu maligno.

—Tal vez sea eso lo que estoy haciendo —respondió en voz muy baja.

—Oh, querida mía, no tenga miedo de mí. Sólo estoy haciendo esto por su propio bien.

Van Helsing —el clásico cazador de vampiros— ha sido interpretado en el cine por muchos actores de renombre, entre ellos sir Anthony Hopkins (arriba).

Experto en medicina

Van Helsing era un experto en ciencia y medicina. En su época se hicieron grandes progresos en ambos campos.

15 de septiembre

Van Helsing y yo volvimos a las ocho a la mañana siguiente. La señora Westenra nos dio una amable bienvenida.

—Los alegrará saber que Lucy está mejor. Mi querida niña todavía sigue dormida. Abrí la puerta de su cuarto y la vi, pero no quise entrar para no despertarla.

El profesor sonrió y dijo complacido:

—¡Ajá! Mi tratamiento está funcionando.

—Creo que no debe adueñarse de todos los honores, profesor. El estado de Lucy ha mejorado, en parte gracias a mí.

—¿A qué se refiere, señora?

—Bueno, anoche me sentí muy preocupada por mi querida hija y decidí ir a su cuarto. Dormía profundamente, pero el aire del cuarto estaba muy cargado. Había muchas de esas flores malolientes por todas partes, e incluso tenía un ramillete en torno al cuello. Temí que el olor penetrante resultara excesivo para ella, así que saqué todas las flores y abrí la ventana para que entrara un poco de aire fresco.

El profesor se puso gris como la ceniza. Subimos corriendo al cuarto de Lucy. Abrí las cortinas y, apenas entró el sol de la mañana, vimos que su cara estaba más blanca que nunca.

—Usted se quedará aquí esta noche y no le quitará los ojos de encima —me dijo Van Helsing. Luego se fue a consultar sus libros de medicina.

Pasé toda la noche sentado al lado de Lucy y la miré dormir serenamente. Por la mañana despertó con más fuerzas. Como el profesor no volvió, decidí montar guardia una noche más. Lucy notó que estaba exhausto.

—Esta noche no te quedarás en vela. Me siento bien otra vez —dijo. Dejé que me acompañara a una habitación vecina a la suya, desde donde podría escucharla si llamaba. Me acosté en el sofá e inmediatamente me quedé dormido. Me despertó la mano del profesor sobre mi cabeza. La noche había pasado y la enferma había quedado sola. Corrimos al cuarto de Lucy y abrimos la puerta con manos temblorosas.

Subimos juntos al cuarto de Lucy.

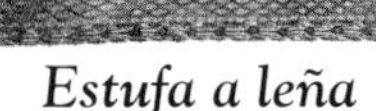

Estufa a leña

Las casas victorianas se calentaban con estufas de chimenea abierta. Van Helsing frotó ajo en la estufa para evitar que Drácula entrara por la chimenea convertido en humo.

Flor de ajo.

Ajo

El ajo ha sido empleado como planta curativa desde la antigüedad. Se creía que su fuerte aroma ahuyentaba a los vampiros y los espíritus malignos.

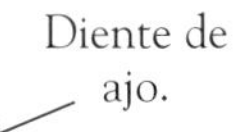

Diente de ajo.

¿Cómo describir lo que vimos? Lucy y su madre yacían juntas sobre la cama. La cara de la señora Westenra tenía una mueca de terror. La de Lucy estaba blanca como el papel; alguien había quitado las flores de su cuello, de modo que tenía la garganta desnuda y podían verse las dos heridas. El profesor se inclinó sobre la cama y comprobó que ninguna de las dos mujeres respiraba.

Memorándum dejado por Lucy Westenra

Éste es el relato preciso de lo que sucedió esta noche. Apenas tengo fuerzas para escribir, pero debo hacerlo.

Fui a la cama como de costumbre; tuve cuidado de colocar las flores tal como me había indicado el profesor Van Helsing, y pronto me quedé dormida. Me despertó un batir de alas en la ventana. Luego escuché un aullido, abajo, entre los arbustos; parecía un perro. Fui a la ventana y miré hacia afuera... pero no logré ver nada, excepto un murciélago enorme, que probablemente había estado agitando sus alas contra la ventana. Volví a la cama. En ese momento se abrió la

puerta y mi madre asomó la cabeza; al ver que no estaba dormida, entró y se sentó a mi lado. Después de un rato volvimos a escuchar ese aullido profundo; poco después algo se estrelló contra la ventana y el piso quedó cubierto de vidrios rotos. La cabeza de un gran lobo gris asomó por la abertura. Mamá lanzó un alarido de terror y, presa de la desesperación, intentó aferrarse a cualquier cosa que estuviera al alcance de su mano. Me arrancó el collar de flores del cuello. Luego cayó al suelo, como abatida por un rayo. Yo tenía los ojos clavados en la ventana, pero en ese instante la cabeza del lobo desapareció y una nube de partículas diminutas, semejantes a motas de polvo, entró velozmente por el panel roto y comenzó a rodearme. Traté de moverme, pero un hechizo parecía impedírmelo... y no recuerdo lo que pasó después. Cuando recuperé la conciencia, escuché el aullido del lobo allá afuera. ¡Mi querida madre se ha ido para siempre! Es hora de que yo también me vaya. Adiós, querido Arthur. Que Dios te proteja... ¡y que Dios me ayude!

Piccadilly
Esta populosa y central calle de Londres va desde Hyde Park Corner hasta Piccadilly Circus.

Colmillos
En el folclore vampírico hay muy pocas referencias a los colmillos. Los vampiros con colmillos hicieron su primera aparición en la literatura del siglo XIX.

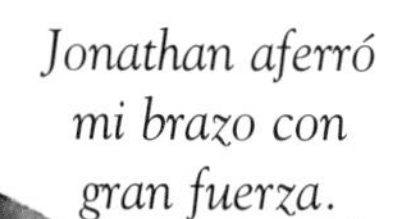

Jonathan aferró mi brazo con gran fuerza.

Capítulo cuatro

DIARIO DE MINA HARKER

22 de septiembre

JONATHAN HA VUELTO A MÍ. Ha estado enfermo; por eso no me ha escrito. Sufrió una experiencia terrible y aparentemente no recuerda nada de lo que ocurrió. Pero ahora estamos casados y vivimos en Exeter.

Nuestra boda, celebrada en Londres, fue muy sencilla y solemne. Después de la ceremonia tomamos un coche hasta Hyde Park Corner y desde allí caminamos hacia Piccadilly. Yo estaba mirando a una chica bellísima, que llevaba puesto un sombrero enorme, cuando de pronto Jonathan aferró mi brazo con tanta fuerza que me lastimó. Tenía los ojos fijos en un hombre alto y delgado, de fino bigote negro; el hombre también estaba mirando a la joven hermosa. Su rostro no era bondadoso; al contrario, tenía una expresión dura y cruel, y sus grandes dientes blancos, que parecían más blancos todavía por el rojo intenso de sus labios, eran afilados como los de un animal salvaje.

—¡Es él, él mismo! Es el conde, pero ha rejuvenecido —gritó Jonathan.

Nos alejamos rápidamente del lugar y pronto se tranquilizó. Pero temo que este episodio haya vuelto a perturbarlo. Tengo que encontrar algún modo de averiguar lo que pasó durante su viaje al extranjero, pero no quiero hacerle preguntas; temo que eso podría hacerle más mal que bien. Creo que ha llegado el momento de abrir su diario y leer lo que allí está escrito.

Cuando llegamos a casa encontré un telegrama de Van Helsing. La pobre Lucy ha muerto. Y su madre también. ¡Cuánta pena en tan pocas palabras! Y el pobre Arthur ha perdido la dulzura que alegraba sus días. Dios nos ayude a todos a superar nuestras desdichas.

24 de septiembre

Anoche no tuve el ánimo necesario para escribir; la lectura del terrible diario de Jonathan me dejó muy perturbada. Cuánto debe haber sufrido, ya sea verdad lo que allí cuenta o pura obra de su imaginación. ¿Habrá padecido una fiebre cerebral que lo llevó a escribir todas esas cosas horribles... o acaso algún motivo real lo impulsó a hacerlo? Supongo que jamás lo sabré, porque no me atrevo a tocar el tema con él...

El profesor Van Helsing vino a visitarnos. Debe ser un buen hombre si ha cuidado tan bien de Lucy. Le dije todo lo que sabía acerca de la enfermedad de Lucy y aproveché la oportunidad para preguntarle sobre Jonathan. Luego le entregué el diario de mi esposo. Después de haberlo leído, me dijo que, por extraño y terrible que parezca, ¡cree que todo lo que allí está escrito es cierto! Cuánta maldad hay en el mundo. ¡Causa horror pensar que el conde está en Londres! Van Helsing es el único hombre que puede atraparlo, y Jonathan lo ayudará.

—Es el conde, pero ha rejuvenecido.

Poco después, vimos acercarse una silueta blanca como la nieve

Capítulo cinco

DIARIO DEL DOCTOR SEWARD

26 de septiembre

Crucifijo
El crucifijo es un símbolo sagrado cristiano. En la novela Drácula *fue utilizado por primera vez como un arma poderosa contra los vampiros.*

Un crucifijo es una cruz con la figura de Cristo.

HOY POR LA TARDE, VAN HELSING IRRUMPIÓ en mi habitación y me arrojó a las manos la *Westminster Gazette* de anoche.

—¿Qué piensa de eso? —preguntó, señalando un párrafo acerca de unos niños atacados en Hampstead. Con estupor, leí que todas las víctimas tenían heridas pequeñas en la garganta.

—Como la pobre Lucy —dije consternado. Levanté la vista del diario y le pregunté al profesor qué sentido tenía lo que estaba ocurriendo.

—No podemos comprender todos los misterios de la vida y la muerte. Pero quiero que usted crea en cosas en las que no puede creer —respondió en voz muy baja.

Luego, se cubrió la cara con las manos y gritó:

—¡Esas marcas en las gargantas de los niños... son obra de Lucy!

—¿Acaso se ha vuelto loco? —pregunté enfurecido.

—Ojalá me hubiera vuelto loco —musitó.

Sacó de su bolsillo la llave de la tumba de Lucy y anunció:

—Esta noche iré a comprobarlo. ¿Se atreve a venir conmigo?

Junté el poco coraje que me quedaba y acepté acompañarlo.

Cuando llegamos al cementerio ya había oscurecido. Encontramos la bóveda de la familia Westenra y el profesor abrió la puerta, que crujió ominosamente. Con mano firme encendió una vela y buscó el ataúd de Lucy. Luego, sin decir palabra, levantó la tapa. Estaba vacío. Yo apenas podía creer lo que veían mis ojos, pero Van Helsing no parecía sorprendido.

—¿Ahora me cree, amigo mío? —preguntó. Volvió a colocar la tapa del ataúd en su lugar y apagó la vela. Salimos de la bóveda y nos quedamos cerca, esperando. Al rato, vimos avanzar una silueta blanca como la nieve. Se me heló el corazón al reconocer los rasgos de Lucy Westerna, aunque muy cambiados. Sus labios estaban rojos de sangre y cuando nos vio retrocedió dando un chillido de furia, como hacen los gatos cuando se los toma desprevenidos; luego se quedó mirándonos.

Van Helsing dio un salto hacia ella, sosteniendo en alto su crucifijo de oro. Lucy se apartó espantada y comenzó a correr; entonces, petrificados por el asombro y el espanto, la vimos desaparecer por una angosta hendidura en la puerta de la cripta.

Cementerio de Highgate
El cementerio de la novela probablemente está basado en el cementerio de Highgate, situado al norte de Londres.

Al vernos retrocedió dando un chillido de furia.

En el año 1979, Klaus Kinski fue el protagonista de la película *Nosferatu, el vampiro.*

Arthur apoyó la punta de la estaca sobre el corazón de Lucy.

Nosferatu
La palabra Nosferatu proviene del griego y significa "portador de plagas": así era como se definía a los vampiros. Más tarde pasó a significar "vampiro" o "no muerto" en rumano.

27 de septiembre

Van Helsing y yo nos reunimos con Arthur y un amigo suyo, un norteamericano llamado Quincey Morris. El profesor narró los acontecimientos de la noche anterior y nos dijo que debíamos cumplir un deber insoslayable. Luego pidió permiso a Arthur para volver a entrar en la tumba de Lucy y abrir nuevamente el ataúd.

—¿Acaso se trata de una broma monstruosa? —preguntó Arthur, fuera de sí.

Van Helsing prosiguió con enorme dificultad:

—La señorita Lucy no está muerta. Pero tampoco está viva. Fue mordida por el vampiro mientras caminaba dormida. Ahora es Nosferatu... una no muerta. S vive, más niños caerán en su poder. Pero si muere, las heridas de sus pequeñas

gargantas desaparecerán. Nuestro deber es otorgarle el descanso eterno... y aquel que tanto la amó será el encargado de liberarla. Habrá que hacerlo mientras duerme, durante el día. Lo único que le pido es que venga conmigo.

—Es duro pensarlo y apenas puedo comprender, pero haré lo que usted me pida —dijo Arthur con voz quebrada.

Fuimos al cementerio a la una y media y esperamos hasta que nadie nos viera. Van Helsing abrió la cripta y encendió una linterna. Cuando levantamos la tapa del ataúd y miramos lo que había adentro, Arthur enmudeció de espanto. Una Cosa maligna de dientes afilados y labios manchados de sangre había tomado la forma de Lucy.

Modalidades de enterramiento
La idea de que los vampiros dormían en ataúdes comenzó a difundirse en el siglo XIX, cuando se popularizó el uso de los féretros.

—Dígame qué debo hacer —dijo Arthur con voz ronca; su cara estaba blanca como la nieve.

—Sostenga la estaca con la mano izquierda y el martillo con la derecha. Luego golpee con fuerza, invocando el nombre de Dios —explicó Van Helsing.

Arthur apoyó la punta de la estaca sobre el corazón de Lucy... y golpeó con todas sus fuerzas. La Cosa que yacía en el ataúd se retorció y apretó los dientes... hasta que por fin dejó de moverse. La terrible tarea había concluido.

Leyendas de vampiros
Las leyendas sobre criaturas vampíricas son una constante en el mundo entero. Se decía que la diosa india Kali bebía la sangre de sus víctimas, aunque por otra parte era una deidad dadora de vida para sus seguidores.

Poder sobre las cosas
Se decía que los vampiros tenían la capacidad de cambiar las condiciones climáticas y de crear tormentas, y que podían controlar a muchos animales, entre ellos las criaturas de la noche.

Falena

Búho

Zorro

Capítulo seis

DIARIO DE MINA HARKER

30 de septiembre

JONATHAN Y YO nos reunimos con el profesor Van Helsing, Arthur y el señor Morris en la casa del doctor Seward. El profesor se sentó en la cabecera de la mesa y dio inicio a la conversación.

—Creo que es mi deber decirles algo acerca del enemigo que tenemos que enfrentar. Existen seres llamados vampiros. Los vampiros no mueren; por el contrario, con el correr del tiempo su poder aumenta. Se sabe que han existido y existen en todas partes, en la antigua Grecia y la antigua Roma, en Alemania, en Francia, en la India y en China.

—El vampiro que está entre nosotros tiene la fuerza de veinte hombres, es más astuto que cualquier mortal, puede adoptar distintas formas y tiene el poder de controlar los elementos: la tormenta, la niebla, el trueno. También puede controlar las cosas más bajas de la creación: el búho, el murciélago, la falena, el zorro y el lobo. Hemos comprobado que incluso posee la capacidad de rejuvenecer. Puede transformarse en lobo, tal como hemos sabido que ocurrió en la goleta que llegó a Whitby. Puede tomar la forma de un murciélago, tal como lo vio la infortunada Lucy por la ventana de su cuarto. Puede aumentar de tamaño y puede reducirse. ¿Cómo, entonces, podremos destruirlo? Será una

—Existen criaturas llamadas vampiros.

ea terrible pero creo que es nuestro deber llevarla a buen término. ¿Qué inan ustedes?

Todos estuvimos de acuerdo con el profesor. Sin titubear, hicimos un amento solemne.

El murciélago se alejó volando en dirección al bosque.

Cambio de forma
El vampiro puede transformarse en muchos animales diferentes, entre ellos el lobo y el murciélago.

Este murciélago de América del Sur recibe el nombre de "vampiro" porque se alimenta de sangre de mamíferos.

Ocaso
Los poderes de los vampiros se debilitaban entre la salida y la puesta del sol. Los vampiros atacaban de noche, la hora legendariamente asociada con todos los acontecimientos malignos.

—Consideremos ahora las limitaciones del vampiro. Su poder cesa con las primeras luces del día, y solamente puede cambiar de forma en el momento exacto del alba o el ocaso. Así, cuando por fin encontremos a este hombre que ya no es, podremos destruirlo.

Mientras el profesor hablaba, el señor Morris miraba constantemente por la ventana. Súbitamente se levantó y, sin decir palabra, salió de la habitación donde nos encontrábamos.

Luego de una pausa ominosa, el profesor continuó su discurso:

—Jonathan ha encontrado ciertos papeles relacionados con la compra de Carfax, la casa del conde. También ha descubierto que las cajas de tierra fueron trasladadas desde Whitby a Carfax. Tenemos que encontrar esas cajas...

De pronto se oyó el sonido de un disparo de pistola. Una bala atravesó el cristal de la ventana, haciéndolo pedazos, y se clavó en la pared del fondo. Arthur corrió hacia la ventana y levantó el marco. Escuchamos la voz de Quincey Morris:

—Lamento haberlos asustado. Pero mientras el profesor estaba hablando, un murciélago se acercó sigilosamente y se posó sobre el alféizar de la ventana. Salí dispuesto a dispararle, pero huyó volando hacia el bosque.

El señor Morris se unió nuevamente al grupo y Van Helsing prosiguió:

—Debemos esterilizar la tierra, de modo que ya no pueda estar a salvo en las cajas. Propongo que vayamos a echar un vistazo a su casa ahora mismo. Usted se quedará aquí, Mina; es demasiado preciosa para arriesgarse.

Todos los hombres parecieron sentirse aliviados al escuchar las palabras del profesor, pero a mí no me pareció justo ni correcto quedar fuera del plan. Ahora se han ido a Carfax.

Pistola de bolsillo

Es probable que Quincey llevara una pistola como ésta, especialmente diseñada para el bolsillo de los caballeros.

Cuando no estaba en uso, el gatillo se guardaba en la pistola.

Con gran cautela, nos escondimos tras la sombra los árboles.

Encrucijada
El nombre "Carfax" proviene de una antigua voz francesa, que significa "encrucijada". Era costumbre enterrar a los suicidas en las encrucijadas, y también se creía que podían convertirse en vampiros.

Capítulo siete

DIARIO DE JONATHAN HARKER

1 de octubre

LLEGAMOS A CARFAX en medio de la noche. Con gran cautela nos acercamos a la casa, ocultándonos tras la sombra de los árboles. Cuando llegamos a la entrada, el profesor abrió su maletín y sacó un crucifijo de plata, flores de ajo y una hostia consagrada.

—Debemos protegernos del enemigo —murmuró.

El doctor Seward tiró del oxidado pestillo de la puerta, que se abrió con un golpe seco. Una vez dentro, todos encendimos nuestras lámparas. El lugar estaba lleno de polvo y en todos los rincones había enormes, tupidas telarañas.

—¿Cuál es el camino a la capilla? —preguntó el profesor.

Entre los papeles legales que yo había encontrado había un mapa de la casa, de modo que tenía una vaga idea de la ubicación de la capilla. Los guié a través de un largo pasadizo descendente, hasta que por fin encontramos la baja puerta en arco de la capilla. Nos habíamos preparado para recibir una sorpresa desagradable cuando abriéramos la puerta, pero ciertamente ninguno de nosotros esperaba que el lugar oliera tan mal. Era como si el aliento del monstruo hubiera reemplazado al aire. Aunque el hedor era casi insoportable, tuvimos que continuar nuestra búsqueda.

Encontramos algunas de las cajas de tierra, ¡pero sólo quedaban veintinueve de las cincuenta originales! El profesor arrancó la tapa de una de las cajas. Tomó un pedazo de hostia consagrada y lo apoyó sobre la tierra que contenía. Luego lo ayudamos a esterilizar el resto de las cajas de la misma manera. Entonces vi que Arthur retrocedía de golpe, y advertí una multitud de ojos diminutos que titilaban como estrellas. El lugar estaba plagado de ratas. Parecían pulular por todas partes, mientras la luz de las lámparas iluminaba sus movedizos cuerpos oscuros y sus ojos brillantes. Todos corrimos hacia la puerta y la cerramos a nuestras espaldas. Cuando abandonamos la casa, la sombra del miedo pareció deslizarse de nuestros hombros como una capa.

Hostia consagrada

El vino se sirve en el cáliz.

Ofrendas sagradas
La hostia consagrada (pequeño trozo de pan, delgado y sin levadura) es parte de la Sagrada Comunión, ceremonia en la que se ofrecen el pan y el vino (símbolos del cuerpo y la sangre de Cristo).

Crucifijo de plata
El crucifijo del profesor Van Helsing era un arma particularmente poderosa contra los vampiros porque estaba hecho de plata: metal puro que, según se creía, ahuyentaba a esas maléficas criaturas.

Capítulo ocho

DIARIO DEL DOCTOR SEWARD

2 de octubre

TODAVÍA ESTABA OSCURO cuando regresamos a casa. Subimos al piso de arriba para asegurarnos de que Mina estaba a salvo. Van Helsing hizo girar el picaporte de la puerta del dormitorio, pero no se abrió. Todos nos arrojamos contra la puerta y así logramos irrumpir en el cuarto. A la luz de la luna, vimos a Mina arrodillada sobre la cama. Junto a ella estaba parado un hombre alto y muy delgado, vestido de negro de pies a cabeza. Apenas lo vimos, reconocimos al conde. Con la mano izquierda sujetaba ambas manos de Mina, y con la derecha le aferraba la nuca. El camisón blanco de la querida muchacha estaba manchado de sangre.

El conde se dio vuelta para mirarnos, y por fin pude contemplar la mirada infernal que tantas veces me habían descrito. Sus ojos llamearon enrojecidos de pasión diabólica y apretó con fuerza sus blancos dientes, filosos como los de una bestia salvaje, tras los labios henchidos de su boca llena de sangre. Lanzando un aullido, arrojó a su víctima de espaldas sobre la cama con tanta fuerza que la infortunada Mina pareció caer desde una gran altura. En menos de un segundo, la horripilante criatura se dio vuelta y saltó hacia nosotros. Pero el profesor estaba preparado y alzó con mano firme la hostia consagrada. El conde retrocedió espantado. Y así siguió, retrocediendo más y más, mientras nosotros avanzábamos llevando en alto nuestros crucifijos. La luz de la luna desapareció de golpe, tapada por una nube negra que atravesó imprevistamente el cielo... Cuando Quincey encendió la lámpara con ayuda de un fósforo, sólo vimos un hilo de niebla lánguida que se deslizaba debajo de la puerta.

Mina se cubría el rostro con las manos y temblaba mientras Jonathan trataba de consolarla.

—No tenga miedo, querida mía —dijo el profesor—. Aquí estará sana y salva, con todos nosotros para protegerla. Permítame apoyar esta hostia consagrada sobre su frente para limpiarla de todo mal.

Se escuchó un grito aterrador. La hostia había quemado la frente de Mina.

—¡Estoy impura! ¡Hasta Dios Todopoderoso se aparta de mi carne infausta! —sollozó. Jonathan la estrechó entre sus brazos. Entonces, todos nos arrodillamos y juramos rescatar a Mina de esa terrible maldición.

Sus ojos llamearon enrojecidos de pasión diabólica.

3 de octubre

Van Helsing estaba convencido de que encontraríamos las cajas restantes en la casa de Drácula en Piccadilly, casa que, según Jonathan había descubierto, el conde había comprado utilizando un nombre falso.

Mina aceptó de mala gana no acompañarnos, pero nosotros sabíamos que estaría a salvo hasta la puesta del sol. Tomamos un coche hasta la casa. Descubrimos que las ventanas tenían costras de polvo y que todos los cerrojos estaban puestos. Arthur había llevado un manojo de llaves maestras; después de probar varias en la cerradura, por fin encontró la que abría la puerta principal. Nuevamente, el olor del interior de la casa era terrible. Comenzamos a explorar, sin saber si el conde estaba allí o no.

Encontramos casi todas las cajas de tierra en el comedor, pero todavía faltaba una. Sin perder un segundo, abrimos las cajas y las esterilizamos con la hostia consagrada del profesor. Luego empezamos a examinar los otros objetos de la habitación: un atado de papeles, un cepillo de ropa, una jofaina y un manojo de llaves. Súbitamente, de un solo salto, el conde entró en la habitación. Cuando nos vio, una sonrisa terrible cruzó su cara y pudimos apreciar sus largos dientes afilados. Jonathan avanzó hacia él blandiendo un cuchillo kukri en la mano. Dio un veloz salto hacia adelante para clavárselo en el pecho... pero el conde retrocedió justo a tiempo para salvar su vida, si es que así puede llamársele. El cuchillo sólo alcanzó a cortar el bolsillo del traje de la bestia, del que cayó una catarata de monedas de oro. Entonces comencé a avanzar, sosteniendo un crucifijo en la mano izquierda y un cuchillo en la derecha. Por un instante, el conde retrocedió... pero luego atravesó corriendo la habitación y se arrojó por la ventana. Cayó a tierra entre el estrépito de los vidrios rotos. Lo vimos pararse de un salto. Luego se dio vuelta y dijo:

—Creen que me han dejado sin lugar donde descansar, pero tengo otros recursos que ustedes ignoran. ¡Mi venganza apenas ha comenzado! —y, lanzando una horrible carcajada, desapareció por la puerta de la caballeriza.

No teníamos tiempo para perseguirlo... ya que debíamos regresar junto a Mina antes de la puesta del sol.

Llaves maestras
Este tipo de llaves se diseñaban para abrir numerosas cerraduras. Por lo general estaban en manos de la policía... o de los ladrones.

Cuchillo kukri
La gran hoja curva del cuchillo kukri lo convierte en una mortífera arma de combate. Era usado por los gurkas de Nepal, un pueblo célebre por su bravura.

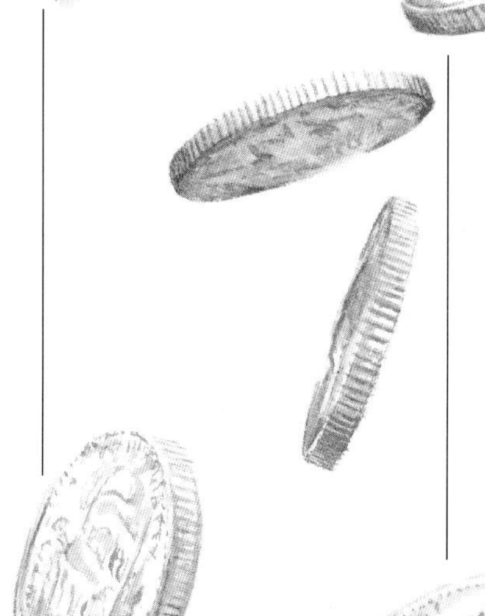

Repentinamente, de un solo salto, el conde entró en la habitación.

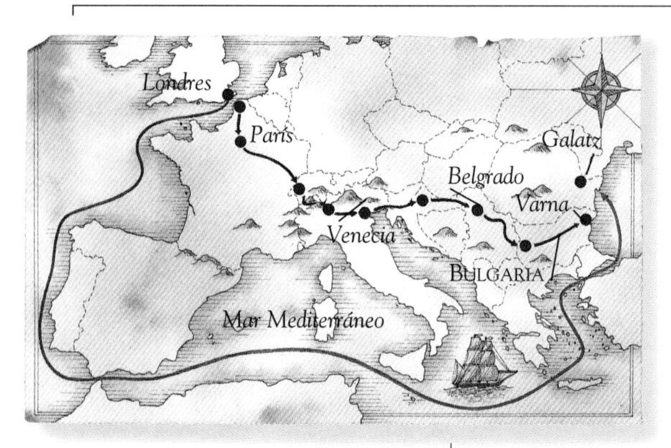

Ruta terrestre

Ruta de Drácula

EL VIAJE

Los cazadores de vampiros viajaron en el Expreso de Oriente rumbo a Varna, Bulgaria. La nave de Drácula siguió una ruta comercial hacia el sur de Europa.

Capítulo nueve

DIARIO DE JONATHAN HARKER

4 de octubre

MINA NOS ESTABA ESPERANDO cuando regresamos. Gracias a Dios estaba a salvo. Cenamos todos juntos, lo que por cierto nos levantó el ánimo, y le contamos a Mina todo lo ocurrido. Cuando llegamos al momento en que yo me abalancé sobre el conde, el profesor exclamó:

—¡Creo que el conde ha decidido huir! Ha comprobado que, con una sola caja de tierra a salvo y una jauría de hombres que lo persiguen como perros cebados a un zorro, Londres no es un buen lugar para quedarse. Se ha llevado la última caja de tierra y va de regreso a su castillo en Transilvania.

Luego agregó:

—Como está obligado a viajar por barco, tardará por lo menos tres semanas. En cambio, nosotros podemos llegar al mismo lugar por tierra en sólo tres días de viaje en tren.

Ahora indaguemos en qué barco escapó el conde Drácula.

Zarpó desde el Muelle Doolittle rumbo a Varna.

5 de octubre

El profesor Van Helsing y yo hicimos algunas preguntas en el puerto de Londres. Así descubrimos que sólo un barco había zarpado rumbo al mar Negro en el día de ayer. Su nombre es *Zarina Catalina*, y zarpó del Muelle Doolittle rumbo a Varna.

Muelle

En las márgenes del Támesis había muchas hileras de muelles que llevaban el nombre de sus propietarios o el de las mercaderías que allí se comerciaban.

Barco

Es probable que el Zarina Catalina *haya sido muy parecido a este barco mercante, preparado para navegar largas distancias.*

De modo que fuimos al muelle, donde encontramos a un hombre en una pequeña oficina de madera. Cuando le preguntamos por el *Zarina Catalina* nos dijo que un hombre alto y muy pálido, vestido de negro de pies a cabeza, había hecho subir una enorme caja a bordo del barco justo antes de que zarpara aprovechando la marea baja. Por lo menos sabemos que el conde no puede atravesar el agua, y que por lo tanto no podrá abandonar el barco. Nuestra única esperanza es encontrar al *Zarina Catalina* en Varna entre la salida y la puesta del sol; porque en ese caso el conde todavía estará en su caja, y no podrá defenderse.

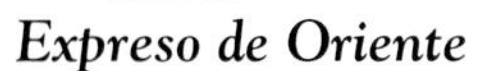

Expreso de Oriente
Este tren de lujo salía de París y cruzaba distintos países de Europa hasta llegar a Varna; desde allí viajaba a Constantinopla —actual Estambul—, capital de Turquía.

Varna, 15 de octubre

Salimos de la estación de Charing Cross en la mañana del 12, llegamos a París esa misma noche, y allí abordamos el Expreso de Oriente. Viajamos toda la noche y parte del día siguiente, y llegamos a Varna aproximadamente a las cinco de la tarde. Mina duerme muchísimo; durante el viaje durmió casi todo el tiempo. Sin embargo, justo antes de la salida y la puesta del sol se mostró muy alerta y ansiosa.

El conde no puede abandonar el barco y para evitar sospechas está obligado a permanecer en su caja. Si subimos a bordo después de la salida del sol, estará a nuestra merced.

Sólo tenemos que esperar que el conde arribe a los Dardanelos y cruce el mar Negro para llegar a Varna.

Mar Negro
El barco de Drácula cruzó el mar Negro, un mar interior localizado entre el sudeste de Europa y Asia.

Puertos
Los puertos del mar Negro eran utilizados para la pesca, el comercio y el transporte. Se comunicaban con el interior de ambos continentes a través de una importante red fluvial.

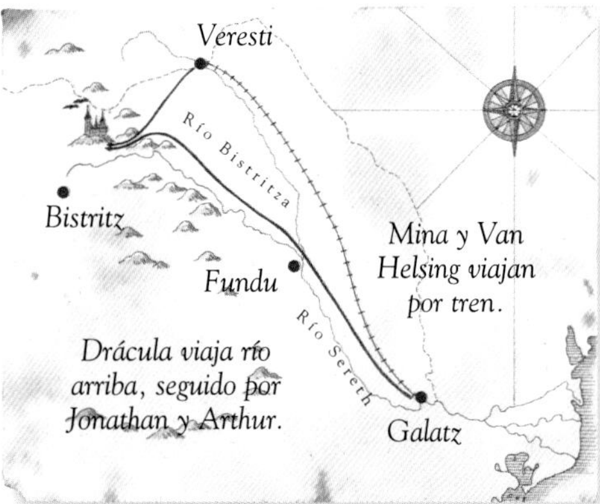

Ruta seguida por Morris y Seward

La cacería
Morris y Seward siguieron a Drácula a caballo, a lo largo de la ribera del río Bistritza. Cabalgaron hasta el Paso del Borgo, donde se encontraron con Arthur y Jonathan.

Telegrama
El telegrama era la manera más rápida de comunicarse a larga distancia. Mediante este sistema, un mensaje podía llegar a destino el mismo día en que había sido enviado.

Capítulo diez

DIARIO DE MINA HARKER

28 de octubre

TODO ES MUY EXTRAÑO. No hay noticias del barco, que por otra parte ya debería haber llegado al puerto. Como todos estábamos muy preocupados, Arthur envió un telegrama al puerto de Londres. Recibió un telegrama que decía:

28 DE OCTUBRE - TELEGRAMA, LONDRES, PARA ARTHUR HOLMWOOD, VARNA.
EL ZARINA CATALINA DEBE ENTRAR A GALATZ HOY A LA UNA EN PUNTO.

¡El conde nos ha engañado! Debemos partir rumbo a Galatz lo más pronto posible. Afortunadamente he aprendido de memoria los horarios del ferrocarril. El próximo tren partirá mañana por la mañana, a las 6.30.

6 de noviembre

Viajamos vía Bucarest y llegamos a Galatz en un estado de agonía expectante. Apenas llegamos, Arthur me llevó al hotel; Jonathan y los demás fueron directamente al puerto. Volvieron con el corazón destrozado. El capitán del *Zarina Catalina* les informó que la caja de tierra había sido retirada del barco antes del amanecer por un grupo de gitanos.

Todos estamos cansados y desalentados. Pero mientras los hombres descansaban un poco me dediqué a estudiar los mapas, y creo haber hecho un descubrimiento. Cuando volvimos a reunirnos, les expliqué que el conde Drácula debe regresar a su guarida por agua, ya que es el medio más seguro y secreto. Sabemos que el conde está siendo trasladado por los gitanos y que, de acuerdo a los mapas, el río Sereth es la ruta más apropiada. En Fundu se une con el Bistritza, que pasa muy cerca del castillo de Drácula.

Los otros se mostraron encantados con mi conclusión.

—Yo cuidaré de Mina —anunció el profesor.

Me di cuenta de que Jonathan quería quedarse conmigo, pero al mismo tiempo sabía que estaba decidido a destruir al... al Vampiro.

El doctor Seward y Quincey Morris partieron a caballo, Jonathan y Arthur siguieron el curso del río en un vapor, y el profesor y yo

tomamos el tren a Veresti. Desde allí viajamos hacia el Paso del Borgo. A medida que nos acercábamos a las montañas, el país se volvió más desierto y la nieve comenzó a caer. Gracias a Dios teníamos nuestros abrigos de piel para protegernos del frío.

Al atardecer vimos la definida silueta del castillo de Drácula recortada contra el cielo. El profesor Van Helsing buscó un refugio bajo la nieve. Encontró un lugar entre las piedras y allí nos sentamos a esperar a los demás.

Vimos la definida silueta del castillo de Drácula recortada contra el cielo.

De pronto, Van Helsing gritó:

—¡Mire, Mina!

Con la ayuda de sus binoculares, vi a lo lejos un grupo de gitanos a caballo que avanzaban desde el río arrastrando una carreta. En la carreta había una caja enorme. Seguí mirando, y vi tres jinetes que perseguían a los gitanos a gran velocidad.

—Están corriendo contra el crepúsculo —bramó el profesor.

Cada vez se acercaban más a la carreta. Entonces escuché a Jonathan gritar:

—¡Alto!

Los gitanos aminoraron la marcha y rodearon la carreta. Sus cuchillos brillaro en la semioscuridad, pero Arthur y el doctor Seward los estaban apuntando con sus pistolas. Con la velocidad del rayo, Jonathan saltó a la carreta y abrió la tapa de la caja con su cuchillo. Ya estaban muy cerca de nuestro improvisado refugio pude ver al conde yacente en la caja, apoyado sobre la tierra, mortalmente pálido. Mientras lo observaba, sus ojos contemplaron la caída del sol y su ıirada de odio se transformó en mirada de victoria. Pero en ese preciso instante l resplandor del gran cuchillo de Jonathan surcó el aire.

Sentí un escalofrío al ver que la hoja del cuchillo de Jonathan cortaba la arganta del conde, mientras el señor Morris clavaba su cuchillo de monte en l corazón de la horrible criatura. El cuerpo del vampiro se redujo a polvo ante uestros ojos.

El castillo de Drácula se erguía impávido contra el cielo rojo; cada piedra de us derruidas almenas se recortaba contra la débil luz del ocaso.

Los gitanos dieron media vuelta y se alejaron a todo galope, temiendo por sus idas. Yo corrí al lado de Jonathan. El sol se hallaba ahora en la cima de la ıontaña y su luz roja acarició mi cara. Todos se dieron vuelta hacia mí y, como si ueran un solo hombre, cayeron de rodillas. Entonces Jonathan sonrió y me dijo:

—Loado sea Dios porque todo no ha sido en vano. ¡Tu frente ha vuelto a ser tan blanca como la nieve! La maldición ha llegado a su fin.

El cuerpo del vampiro se redujo a polvo ante nuestros ojos.

El libro y la leyenda

Si bien las creencias varían, por lo general el vampiro es un humano muerto que regresa de la tumba y se alimenta de la sangre de los vivos. Los mitos de vampiros están arraigados en la idea de que la sangre es fuente de vida y que beberla implica una renovación de las fuerzas. Bram Stoker tomó numerosas ideas acerca de los vampiros de las leyendas de Europa del Este. No obstante, fue su original visión de estas extrañas criaturas la que trajo la legendaria figura del vampiro hasta nuestros días.

¿Qué aspecto tienen los vampiros?

La mayoría de los vampiros del folclore de Europa Oriental son de complexión mortalmente pálida, semejante a la de un cadáver, y exudan un penetrante hedor a muerte. Los vampiros transilvanos tenían mal aliento y eran espantosamente feos, dotados de hipnóticos ojos inyectados en sangre. Drácula era un vampiro de piel muy blanca y uñas larguísimas. Sus ojos relampagueaban enrojecidos cuando se enfurecía. Sus labios perturbadoramente rojos cubrían una temible hilera de largos dientes afilados.

Sin alma

La idea de que los vampiros no tenían reflejo fue presentada por primera vez en la novela de Bram Stoker. Se basaba en una creencia religiosa, según la cual los espejos reflejan el alma de las personas; por lo tanto, como Drácula no tenía alma, su imagen no se reflejaba en el espejo. Actualmente, no son pocos los que creen que romper un espejo trae mala suerte: aquel que daña un espejo, daña su propia alma.

La edad de Drácula varía. Cuando Jonathan vuelve a verlo en Londres nota que "ha rejuvenecido", probablemente porque acababa de darse un festín con la sangre de la difunta Lucy.

Drácula se convierte en lobo al entrar a la habitación de Lucy.

En el folclore, los murciélagos solían estar vinculados con el demonio y eran considerados un signo de muerte.

Transformación

La capacidad de cambiar de forma de los vampiros estaba presente en todas las leyendas folclóricas, a menudo relacionadas con la brujería. Drácula se transforma en murciélago para escuchar los planes de los cazadores de vampiros que pretenden atraparlo; también se transforma en niebla para escapar de la habitación de Mina. En Rumania se creía que los vampiros aparecían en forma de puntos de luz en el aire.

La destrucción de los vampiros

El folclore mencionaba muchas maneras de destruir a un vampiro. Algunos de los métodos incluían matarlo con una bala de plata, exponerlo a la luz del sol, cortarle la cabeza e incinerar su cuerpo.

Estaca y martillo

El método más común consistía en atravesar con una estaca de madera el corazón del vampiro. Era una manera de devolver el cuerpo a la tierra o, dicho menos poéticamente, de clavarlo al suelo.

Cuchillo Bowie

En el transcurso de la novela, los vampiros son eliminados por métodos tradicionales y también mediante recursos renovadores. Lucy es destruida por una convencional estaca, pero el mismísimo Drácula es eliminado por un cuchillo de caza norteamericano: un arma moderna en los tiempos de Stoker.

Protección contra los vampiros

El ajo, de olor penetrante y expansivo, se usaba para detectar y ahuyentar a los vampiros. Otro método consistía en esparcir semillas sobre el ataúd del vampiro, ya que según la creencia eso le impedía abandonarlo. También se colgaban ramas de muérdago en las puertas de las casas o se le cultivaba alrededor de los muros.

Ajo

Muérdago

Cristianismo

Como fuerza del bien, el Cristianismo era el enemigo natural de los vampiros. Cualquier símbolo cristiano se podía usar como arma contra un vampiro. La principal religión de Rumania era la Ortodoxa Rusa, que tenía numerosas semejanzas con la Católica.

Hostia sagrada.

Luz de vela

Las velas se usaban para ahuyentar el mal, fuera del tipo que fuese. Tradicionalmente, la luz de la vela representa la luz del sol o la luz de Cristo, de allí que sea empleada en las ceremonias cristianas. En Rumania, la vela era una de las principales protecciones contra los vampiros.

Crucifijo

La historia de los vampiros

Las leyendas de vampiros tuvieron su origen en las civilizaciones antiguas. La primera representación gráfica de un humano succionando sangre data de hace aproximadamente 4.000 años y se encuentra en un sello cilíndrico babilonio. En la India se han escrito numerosos cuentos acerca de un vampiro que cuelga cabeza abajo de la rama de un árbol, como si fuera un murciélago. Los vampiros también aparecen en las leyendas del antiguo Egipto, China, Roma y Grecia.

Striges, bruja vampiro de la antigua Grecia.

Vampiros en Europa Oriental

Las leyendas de vampiros se propagaron en Europa del Este durante los siglos XVI y XVII. En Hungría, una condesa llamada Erszébet Báthory fue acusada de torturar y asesinar a más de seiscientas jóvenes y adolescentes. Se decía que mordía la carne de sus víctimas y bebía su sangre.

El siniestro castillo de Csejhte, morada de la condesa Báthory, hoy en ruinas.

Erszébet Báthory (1560-1614)

Transilvania

El folclore del vampirismo floreció en el remoto paisaje montañoso de Transilvania, donde convivían distintos grupos étnicos y tradiciones. Los transilvanos creían que todo aquel que nacía con dientes o era el séptimo hijo varón de un séptimo hijo varón estaba destinado a convertirse en vampiro.

Muchos europeos orientales creían que las enfermedades epidémicas, como la peste bubónica, eran causadas por el diablo. También creían que las víctimas se convertían en vampiros.

Los transilvanos creían que si un gato saltaba sobre un cadáver antes de que fuera enterrado, el muerto podía convertirse en vampiro.

Libros sobre vampiros

Los relatos de vampiros se propagaron por toda Europa a fines del siglo XVIII... y así fue como esas temibles criaturas pronto comenzaron a protagonizar cuentos y novelas. Antes de Drácula, el libro más influyente sobre el tema era *El vampiro* (1819), un cuento corto basado en un relato de lord Byron y publicado por John Polidori. Otro de los primeros libros sobre vampiros fue *Varney, el vampiro* (1847).

Después de Drácula

Si bien Bram Stoker escribió varias novelas, sólo es recordado por una: *Drácula* todavía sigue asustando y fascinando a sus lectores, más de cien años después de su primera edición en 1897. No obstante, son las películas basadas en el libro —y no el libro mismo— las que han convertido a Drácula en el popular personaje mítico que conocemos en la actualidad.

Bram Stoker

Bram (Abraham) Stoker (1847-1912) nació en Dublín, Irlanda. Luego de estudiar matemáticas en Trinity College, en su ciudad natal, trabajó como empleado administrativo del gobierno. Stoker se sentía fascinado por las historias de vampiros y comenzó a escribir cuentos de terror en su tiempo libre.

Bram Stoker

Henry Irving

La otra gran pasión de Stoker era el teatro. Se hizo íntimo amigo del actor Henry Irving, quien lo nombró jefe de escenario de su compañía en Londres. Allí fue donde Stoker comenzó a buscar datos sobre Transilvania y sus tradiciones vampíricas; allí fue también donde la idea de *Drácula* cobró forma.

Es probable que Stoker haya basado el personaje de Drácula en la poderosa personalidad de Henry Irving.

Una de las primeras ediciones británicas.

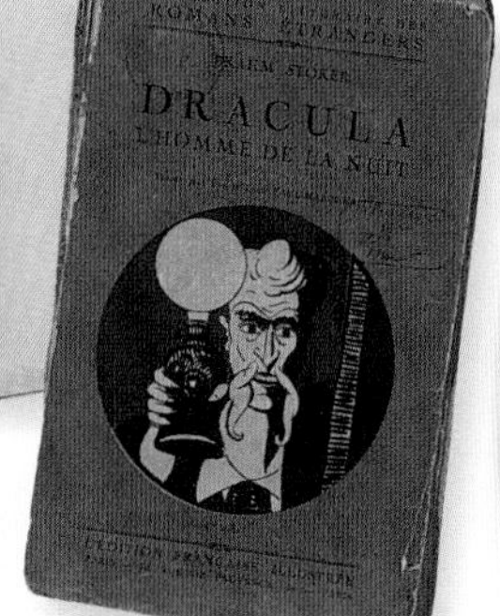

Edición francesa (1920)

Primeras ediciones

Drácula fue publicada en mayo de 1897. Tuvo un éxito inmediato y al poco tiempo fue traducida a numerosos idiomas.

Peter Cushing se hizo famoso por su interpretación de Van Helsing, el intelectual cazavampiros.

Lee y Cushing

En 1958, los actores británicos Christopher Lee y Peter Cushing interpretaron respectivamente a Drácula y Van Helsing en la película *Drácula*. Fue la primera versión filmada en colores, lo que agregó espectacularidad a la historia narrada en el libro.

Lee creó una nuev[a] imagen de Drácula mucho más cercana de la novela origina[l]. Tenía unos gruesos visibles colmillos, qu[e] hundía en las gargan[tas de] sus víctimas femenin[as]. Christopher Lee protagonizó varias pe[lículas] sobre Drácula.

El actor húngaro Bela Lugosi.

Nosferatu

Max Shreck fue el primer actor que interpretó a Drácula en la pantalla, en la película muda alemana *Nosferatu*. Como los realizadores no habían obtenido la autorización para la versión filmada de la novela, fue necesario cambiar el título de la obra y los nombres de los personajes.

En escena

La versión teatral de *Drácula* fue estrenada en Inglaterra en 1924. La obra fue un éxito y se trasladó a Broadway, Nueva York. Allí, Bela Lugosi —ataviado con capa negra y frac— interpretó el papel principal. Más tarde protagonizó la primera película hablada basada en la novela y su interpretación magistral fue imitada por otros actores en todo el mundo.

EL VAMPIRO EN EL CINE

A continuación incluimos algunas de las ulas más importantes basadas en la novela)rácula y en el tema de los vampiros:

ECHA / PROTAGONISTA	
)22	Nosferatu, *protagonista: Max Shreck*
)31	Drácula, *protagonista: Bela Lugosi*
)58	Dracula, *protagonista: Christopher Lee*
)79	Amor a primera mordida, *protagonista: George Hamilton*
)79	Drácula, *protagonista: Frank Langella*
)79	Nosferatu, el vampiro, *protagonista: Klaus Kinski*
)92	Drácula, de Bram Stoker, *protagonista: Gary Oldman*
)94	Entrevista con un vampiro, *protagonista: Tom Cruise*

istorietas

ácula también ha inspirado gran cantidad de torietas y personajes de animación, entre ellos unt Duckula, un popular personaje de torietas de la década de 1980. Count Duckula o el conde Duckula— vivía en el Castillo ckula en Transilvania y dormía en un úd mágico que lo llevaba, a él y a su tillo, a distintos lugares del mundo.

Shreck, en su dora interpretación ácula.

verdadero ícula?

elícula más fiel novela original *ácula, de Stoker*, con Oldman en pel del e. Incluye s encias a Dracula.

Drácula internacional

Se filmaron versiones de *Drácula* en todo el continente europeo, y también en Estados Unidos y Gran Bretaña.

Anuncio italiano de la película franco/germana Nosferatu, el vampiro.

Las novias de Drácula (Francia, 1966)

La sangre del vampiro (España, 1966)

DRÁCULA SIGUE VIVO

El mito de Drácula ha contribuido a desarrollar la industria turística en Transilvania. Los lugares para visitar incluyen el Castillo de Bran y el Paso del Borgo, donde recientemente han construido un nuevo Drácula Castle Hotel.

Sociedades de vampiros

Algunas personas aún creen que los vampiros existen. El Vampire Research Center (Centro de Investigaciones sobre Vampiros), localizado en Nueva York, se dedica a investigar informes sobre vampiros activos en todo el mundo. El misterio del vampiro sigue vivo...

Agradecimientos

Créditos de imagen
La editorial desea agradecer a las siguientes personas e instituciones por haber otorgado su autorización para reproducir fotografías:

t = arriba, b = abajo, a = arriba, c = centro, l = izquierda, d = derecha

AKG Photo London: 8tc; Erich Lessing back jacket cla.
Ancient Art and Architecture: Ronald Sheridan 61cr.
Elizabeth Bacon: 27cr, 63br.
Gerard Boullay: 61bc.
Bridgeman Art Library, Londres: Christopher Wood Gallery, Londres 54cl; Forbes Magazine Collection, Nueva York 33cr; Kunsthistorisches Museum, Viena 18tl; Phillips the Auctioneers 11cr; Roy Miles Gallery, Londres 32tl.
British Museum, Londres: 17tr, 20bl, 61tr.
Jean-Loup Charmet, París: 8bra, 8bl, 23tr, 61ca, 61cra, 61cb, 62bla.
ET Archive: 20cl.
Mary Evans Picture Library: 18bl, 30cl, 48bl, 55br, 61br, 62cl.
Fortean Picture Library: Derek Stafford 60tl.
Chris Fraser: 41tr.
Glasgow Museum: tapa c.
Ronald Grant Archive: Hammer Films 62c; 42bl, 62/63 página completa.
Kurt Hielscher: 12bl.
Michael Holford: 44tl.
Hulton Getty Picture Collection: 38tl, 62clb.
Hutchison Library: J Henderson 8c.
Images Colour Library: 13tr, 46bl.
Impact: Jon Hoffman 14bl, Robert Gibbs 14tl.
Kobal Collection: 33tr, 62bc, 62br, 63bc.
Simon Marsden: página completa.
NHPA: John Shaw 13cr.
National Maritime Museum, Londres: 28tl, 29tr, 29cr, 54bl.
National Trust Photographic Library: Andreas von Einsiedel 35tr.
Planet Earth Pictures: John Lythgoe 55cr.
Rosenbach Museum and Library, Nueva York: 62clb.
Spectrum Colour Library: 55tr.
Tony Stone Images: Ken Biggs 30tl; Richard Kaylin 44cl.
Viewfinder: 12cl.
Vintage Magazine Company: 38cl, 62tr, 63tc, 63tcr, 63cra.
Jerry Young: 44clb, 60bl.

Fotos adicionales: Andy Crawford y Gary Ombler del DK Photographic Studio; Richard Leaney; Alex Wilson; Victoria Hall.

Ilustraciones adicionales: Sallie Alane Reason; Stephen Raw.

Dorling Kindersley desea agradecer especialmente a las siguientes personas e instituciones:

Jo Bacon; Bridgeman Art Library; Jo Carlill; ET Archive; Mary Evans Picture Library; Leah Gordon y Annabel Edwards por haber autorizado la reproducción de la escultura de metal en la página 21, (br), del artista Gabriel Bien-Aimée, cuyo título original es *Dancing with the Birds of the Night*; Victoria Hall por haber colaborado en la investigación; Joanna Hartley; The Post Office Archives, Londres; Risky Business, Londres; Themis, del Werner Forman Archive; Alexandra Warwick por su asesoramiento y por el préstamo de trajes y accesorios; Marion Dent por la lectura de pruebas; y a las siguientes personas e instituciones de Transilvania: Raoul Mihail, Bianca y toda la gente del Castillo de Bran; Gabriela Chiru y Juana, del Museo Etnográfico de Brasov; todo el personal del Museo de Etnografía de Transilvania, Cluj-Napoca; Museo Histórico de Transilvania, Cluj-Napoca; George Szirtes.